# 令和の「論語と算盤」

*Kaji Nobuyuki*
加地伸行

産経セレクト

S-019

# 始めに――古典の知恵とは

明治時代が生んだ天才、渋沢栄一には、『論語と算盤』という名著があり、今も多くの人に読み継がれている。

それがなぜ名著であるのか、という点について、老生、かつて述べたことがある。すなわち、平成二十年、角川書店が自社のソフィア文庫から同書を刊行したとき、同書の解説ならびに引用された漢文を読み下し（いわゆる書き下し文）にし、かつその現代語訳を加えたことがあった。

そのとき、その解説において名著であるわけを述べたのである。

その解説文に依りつつ、『論語と算盤』について、まずは説明いたしたい。

『論語と算盤』は、厳密に言えば、渋沢栄一の講演記録を中心にして、その弟子筋の人たちが言行等を整理し、原稿化して刊行されたものである。

そのときに『論語と算盤』という書名が冠せられたのであるが、誤解を与えやすい。というのも、その書名から感じるものは、こうである。すなわち渋沢が『論語』を踏みながら経済（算盤）等について論じている本と解されやすい。

それは誤解である。確かに同書中に『論語』が多く引用されてはいる。しかし、全編がそうであるというのではなく、渋沢は自己の主張に合わせて、『論語』以外の中国文献を多く引用しているのである。

という点からすれば、『中国古典と算盤』という書名が実態に近い。

さらに突っ込んで言えば、ではその中国文献はどういう意味で引用されているのか、ということになる。

結論的に言えば、渋沢は、中国文献の引用のしかたを十分に心得ていたのである。すなわち、引用とはこういう形なのである。なにか或ることについて論じたとき、その言わんとすることの要約、あるいはその類型に当たるものの引用、あるいはその主張から学ぶべきもの等々に対して、ピタッとする中国文献を引用するというのが、かつての知識人の文章作法であったのである。渋沢はそれを心得ていた。

もちろん、その引用文が、ふつうの文であるよりも、すぐれた文、わけても古典であると最高となることは言うまでもない。

東北アジア文化圏（中国・朝鮮半島・日本など）の知識人は、そういう文章作法を心得ており、絶えず実践していたのである。渋沢栄一もその一人であった。

さて、その〈引用〉というものの在りかた、その意味とその形との出発点はどこにあるのかと言えば、実は『論語』にある。『論語』述而にこうある。「述《の》べて作《つく》らず、信じて古《いにしえ》を好む」と。その意味は、私（孔子）は、〔古典・古制・古道について〕祖述しはするが、創作はしない。すなわち〈古代のすぐれた人たちのことば・考えを〉信じ、彼らによって表されている〈古典・古制・古道が好きである〉と。

つまり、自分がなにか或ることについて論じるとき、自分の考えをただ主張するのではなくて、古典を拠《よ》りどころにして、その主張の締めとして、その主張に該当する古典のことばを探し求め、その古典のことばを引用して記すという形を採ることとなる。そういう文章を読む人は、文中に引用された古典の文と出合うこととなり、ああ、これは『論語』だなとか、あ、これは『春秋左氏伝』だなとか、おう、これは『礼記《らいき》』だな……と楽しんで読むことになるのである。

こうした引用をする文章を読んで楽しむのが東北アジア文化圏の人々の〈教養〉であった。いわば、文章に埋め込まれた古典探しゲームのような遊びであった。

この形は、もちろん日本や朝鮮半島等の教養人においても受け継がれていった。自分が書く文章に古典を埋め込んで引用するのが、すぐれた文章であったのである。

例えば、『新古今和歌集』。この和歌集は、〈本歌取り《ほんかど》〉というスタイルが特徴である。すなわち、過去の名歌（本歌）を踏んで（取る）、和歌を作るのが特徴。しかしこれは、中国古典のことばを引用したり踏んだりして作る伝統的文章作法〈述べて作らず〉の日本版、すなわち過去のすぐれた和歌を引用したり踏んだりして作る文章作法に基づいていることを示している。それが〈本歌取り《かど》〉についての正しい理解である。

にもかかわらず、そうした東北アジアにおける伝統的文章作法を知らず、『新古今和歌集』は〈物まね〉で文学的価値はないとする人が多い。それも高校の国語教員に多く、授業でそう言う。そのため、想い出せば今から七十年近くも昔、老生が高校生のとき、国語の時間、『新古今和歌集』をバカにした授業であったのを覚えている。

因《ちな》みに『新古今和歌集』中の和歌に体言止《ど》めを見かけるが、これは漢詩の影響ではなかろうかと、ま、当て推量している。

閑話休題《さて》、話を『論語と算盤』にもどすと、その文章構造の基本は、〈述べて作らず〉と思う。

老生、中国古典学に基づく生涯であったから、この文体が身についておるわ。それは当然の成行《なりゆ》き。

結果、担当コラムの産経新聞「古典個展」、月刊誌『ＷｉＬＬ』「朝四暮三」、同『Ｈａｎａｄａ』「一定不易」における拙文の最後は、すべて中国古典文の引用によって〈結収《けっしゅう》する〉という形となっている。もちろん、それは〈述べて作らず〉という意識であることは言うまでもない。

ただし、「古典」ということばには、すこし説明が必要。中国文化において、古典というのは、儒教の重要文献の十三点を指す。ずっと後には、減らして七点。だから、『老子』とか『韓非子』とかといった儒教以外の作品は、実は意識として〈古典に入らなかった〉のである。

しかしそれは、儒教中心の時代の話。今では、そのような狭い料簡《りょうけん》は通用しない。すなわち、長い歴史の中で生き残って今日に至っている、いつの時代でも読むべきすぐれた作品といった意味での作品、それが古典である。

老生が指す「古典」は、そういう現代的な意味としての〈古典〉であり、渋沢栄一が引用する〈古典〉も同様である。

これで、賢明な読者諸氏は、老生の意図を御賢察されたことと推察。

すなわち、本書は老生が或る論じたいことを述べた後、それを集約する古典を引用して統括するという伝統的書法によって成り立っている。

それは、渋沢栄一の『論語と算盤』における書法と同一である。

これは、東北アジア――儒教文化圏における文人の伝統的執筆作法と言っていい。もちろん、同じく、拙文をお読み下さる方々も、そういう書法をお楽しみ下さる伝統的読書作法をお心得の方々と存ずる。

あえて申せば、〈伝統〉を仲介としての作者と読者との伝統的〈文章お遊び〉というところか。

ということで、本書の書名に、右の気持ちをこめて、まずは「論語と算盤」を取りこんだ。それは現代流に言えば、「古典と現代社会」というところか。

しかし、時は令和。この御世《みよ》に生きる現代という気持ちを外《はず》すわけにはゆくまいて。

そこで題して『令和の「論語と算盤」』に落ち着いたのである。これは決して盗みではない。それどころか、逆に、渋沢の理念を正統的に継いでの「論語と算盤」を世に拝呈する気持ちなのである。

本書に採録した拙文は、産経新聞における老生担当のコラム「古典個展」や、同紙上の「正論」、雑誌『正論』等に基づいている。その老生担当の代表コラム名「古典個展」は、すなわち、古典（中心は中国古典）を独自に解釈してそれに依りつつ、老生個人の心情のままに描く文字絵柄《えがら》という意味。この「古典個展」は、もとより老生の独り言。しかしな、その裏の狙《ねら》いは、この「古典個展」という漢字を音読なさるとお分りじゃ。それ「こてんこてん」とな。

誰に向っての「こてんこてん」かは、本書をお読みあってお解《わか》り。では開幕、開幕。

# 令和の「論語と算盤」◎目次

始めに――古典の知恵とは

装丁　神長文夫＋柏田幸子
ＤＴＰ製作　荒川典久

# 序章　コロナ禍に

# コロナ対策に新制度を

令和二年――なんと新型コロナウイルスが世界に蔓延している。かつてのペスト、サーズ（ＳＡＲＳ）等と同じく、世界全体に爆発的な感染速度で広がっていった。

このコロナ伝染増大について、今は引退しているが、生物学研究者の友人が静かにこう語っていた。今の対応のしかたは医学的立場のもので、生物学的には納得しがたい、と。

と言うのは、こうである。歴史的に、太古の昔から、何度も新しい生物が登場しては消え、消えてはまた登場してきた。今の新型ウイルスも、これまでの生物と同じく、新しく生まれてきたのだから、生き延びようとして、すさまじいエネルギーで増殖し、その勢いに人間まずは対抗できない。かなりの時間を費やしてそのワクチンを創り出すまでは。それが生物の原則である。

となると、押さえつけないで、逃げないで、彼らの増殖を自由にさせてやると、一

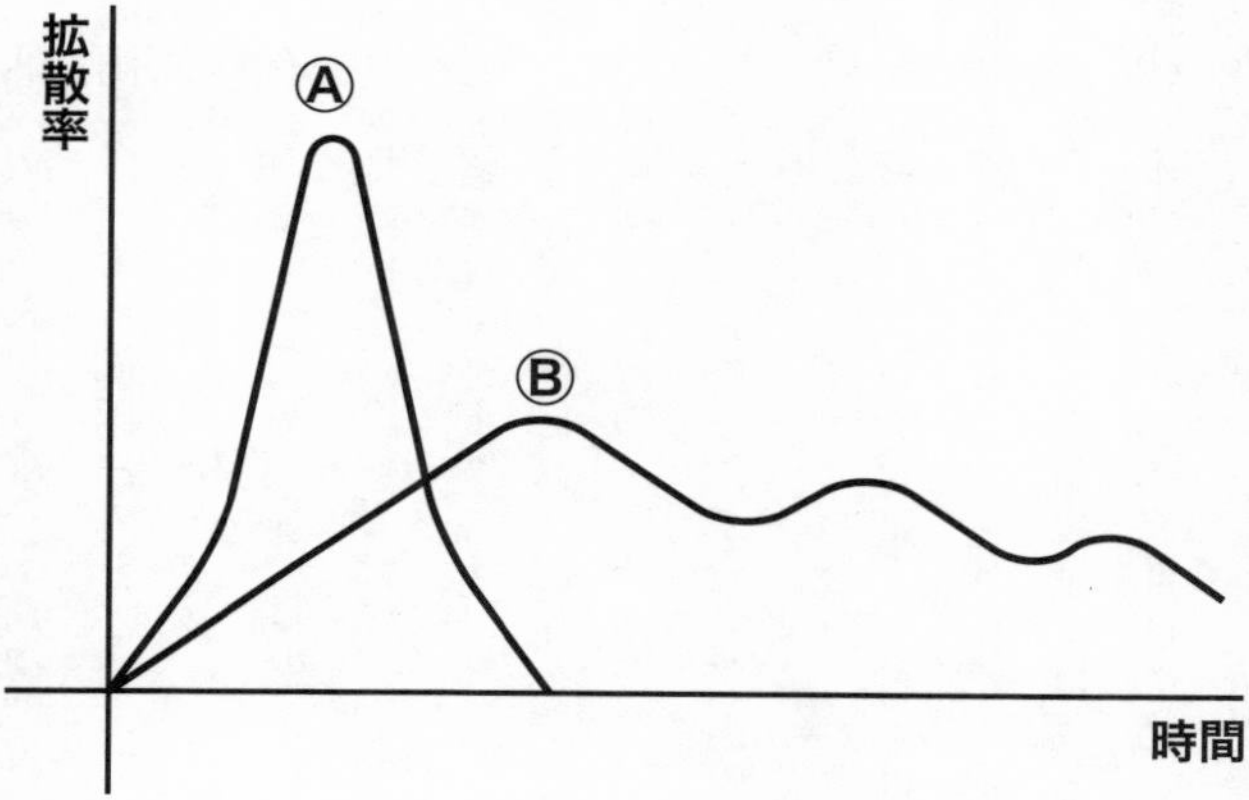


気に感染者が増えはするけれども、そのウイルスどもは落ちつく。ああ、これで俺たちは生存場所を得た、と。その時をもって、そのウイルスはこの地球に己《おのれ》らの生存権を得たこととなる。となると、必死の増殖をすることにもはや意味がなくなり、流行は終息する。だから、今でもペストやサーズ等のウイルスは居《い》ることは居《い》てもおとなしくしているのである。

そのことを上のグラフが示している。Aはウイルスが増殖するがままの場合。Bは、蔓延しないようにあれこれと対応する場合。

そしておそらく、終息までの期間は異なるが死者の総数としては、A・Bともに結果的には同じくらいであろう、と。

早い話が、人間も含めた動物世界では、生殖活動によって、次世代が生まれると、その両親は、もう御用済みとなる。

にもかかわらず、例えば老生のごとく長々と生き続けておるのは、生物の原則に反するというものであろう。長生《ながいき》すれば恥多しとはこのこと。おっと、その大本《おおもと》は、『荘子《そうじ》』天地に曰く、「富むれば、則ち事《こと》多く、寿《ながいき》すれば、則ち辱《はじ》多し」ぞ。

生命そのものを研究対象とする、老友の生物学者は、静かにこう言う。生物学研究者と異なって、医師は人の生命を救うことを目的とする。だから、今回のウイルス対策の視角は、患者の〈生命の救済〉であり、根原的な〈生命の原則〉を見る目ではない。だから、AグラフでなくてBグラフを求めている、と。

＊　　＊　　＊

となると、コロナ対策上、日本はBグラフと覚悟せねばなるまい。現代のような生物学も医学もなかった古代国家であるとAグラフで推移してゆくので、爆発的に感染者が増え、死者も一気に増えはするが、短い期間で終息に向かう。しかしBグラフの現代日本では、相当の長期間の戦いとなることを覚悟せねばなるまい。

さて、この難病（今のところ有効なワクチンなし）に対して安倍晋三内閣はどう立ち向うのか。老生、思うに二点が肝要。

と言うのも、近ごろの諸論調を見るに、「国難」ということばが相当に多く現れてきている。なにやら鎌倉時代の元寇《げんこう》――蒙古来《もうこきた》る、蒙古来《きた》る、国難なり、という雰囲気。すなわち日本的緊張。

それはそれでいいが、しかし、新型コロナウイルスという国難に対して、どう立ち向うか、具体的にして有効な提言がなくてはなるまい。

そこで老生、まずは第一点をとして提案いたしたい。それは、日本以外の諸国に在る〈戒厳令〉の承認である。

われわれ日本人は、危険な国際情勢とは縁遠く、生活は世界的には高水準であり、仕事もその気になれば求められるし、治安はこの上ない。ま、言わば、世間知らずの坊っちゃん、嬢ちゃんの生活環境に在る。

だから、危険の緊急事態に不慣れである。早い話が、コロナ蔓延で大緊張。しかし、緊急事態はなにも流行病ばかりではない。この世界的流行病の最中に、火事場泥棒のごとく中国公船が、尖閣諸島付近を周回し続けている。彼らが日本国内に上陸してくる可能性なしとしない。また、北朝鮮は日本海に向けてミサイルを発射し続けている。

こうして有事が起きた場合、政府はどのようにして対応するのか。いや、どのような法的立場に立つことができるのか。

普通ならば、自衛隊の最高指揮官である首相は、戒厳令を発するべきであろう。すなわち平時の法を一時的に停止し、それを超えて行政権と司法権の一部を首相が掌握できる措置である。例えば、関東大震災（大正十二年）のとき、東京府（当時）・付近の三県に対して、国内治安のための行政戒厳を発令している。

この戒厳令は、明治十五年に太政官布告三十六号として布告されていたが、日本国憲法発布後は排除されてしまっている。それは勝者のアメリカ側の、当時の敵対的意思であっただろう。

しかし、今や日本は独立国である。だが、周辺にはわが国を脅かす国がいくつもある。また今回のような大流行病や大自然災害の可能性もある以上、今や戒厳令の立法をなすことが、現政権の取るべき義務であろう。緊急事態宣言などというヤワな〈国民へのお願い〉で事が済むと思ったら大間違いである。

次に、第二点を提案いたしたい。

前述の第一点、すなわち政治的問題に並んで、いま大流行の新型コロナウイルス感染症は経済を直撃している。要するに、政府はいろいろな意味、場面等に対してこれから膨大な支援予算を組まなければならない。その準備は大丈夫なのか。非常に苦しいと思う。

ならば、以前から老生が提案している〈日の丸国債〉を今回発行すれば、十分な財源を準備できるのである。

日の丸国債とはこうだ。日銀発行の一万円札を刷ったあと、もう一刷りする。何を刷るのか。赤い国旗・日の丸を刷る。それだけでいい。もちろん番号はそれ用に新しく定めた方式で登載。

この日の丸国債は、これまでの国債と異なり、無利子とする。となると、利子のつかない国債をだれが買うのかという疑問が起きよう。当然だ。

そこでこうする。①通貨としても使える。②相続税は免除する。

相続税対策に悩んでいる大金持ちにとっては、無税は大朗報。恐らく、先を争って買うことであろう。となると、大金持ちだけではなくて、中金持ち、いや小金持ちも買うことであろう。また、その多くは資産として貯蓄されるだろうから市場には流通せず、インフレにもならない。

この新国債は、いわば、非常時に国民の協力を求めるものだが、国民側にも損はない。本来、相続税として支払うべき税金分がなくなり、〈今の危機〉に使うお金として、前倒しで国債（財産）として買い、政府に協力するだけだからだ。

また、特例的に、日の丸国債を買うときは、金融機関の専用窓口を通すこととする。そしてそこを預け口とする。すると、日の丸国債の管理もしてくれるわけであるから、保持が安心できる。必要な時にはその専用窓口から引き出せる。

政府としても、最初にその販売手数料を銀行や証券会社に支払う以外、無利子だからその後の出金は一切ない。すなわち若干の販売手数料を一回支払うだけであり、日の丸国債を販売後、ほとんど同額の現金を入手することができ、それを自由自在に使うことができる。

期限は二十年とする。購入者は、まったく手をつけないでいた場合、期限が来る前に引き出し、次の日の丸国債を買って、また金融機関に預ければ、何の損もない。

一方、日の丸国債が通貨として使われた場合、最終的には日銀本店に帰ってきて集まる。すると、大量の帰ってきた一万円札や日の丸国債の内、日の丸国債を抜き出し、すべてどんどん焼却してゆく。すなわち〈消えてなくなる〉のである。

こうした提案をすると、必ずこう非難する者がいる。それは預金・貯金が巨大な〈金持ち優遇策〉であり不公平と。

愚か者である。こういう主張をするのは、野党、大学教員、新聞関係者等々、いつもの〈単なる抽象論者ども〉である。老生、こう言い放《はな》つ、非難・反論するくらいなら、日の丸国債を上回る、すぐれた具体的政策を提案してみよ、と。それができなくての反対論者のごときは、ただの騒がしい鳴き声にすぎぬ。雀《すずめ》（愚者）の千声よりも鶴の一声、ぞ。古人も言っておるわ。『史記』趙世家に曰く、愚者の千羊《せんよう》の皮（千匹の羊の皮）、一狐《いっこ》の腋《えき》（わきの下の皮）にしかず（及ばない）、とな。

この日の丸国債の発行で、毎年二十兆円くらいが政府に入るだろうと、老生は考える。差し当たり来るべきコロナ不況すなわち国難を日の丸国債で叩《たた》きのめすべきではないか。もちろん老生、専門家ではない。ただ、非常時には政治も経済もこれぐらいの思い切った対策が必要ではないのか。

**『論語』述而に曰《いわ》く、……必ずや事《こと》に臨んで懼《おそ》れ（慎重に）、謀《はかりごと》を好んで而《しか》して成《な》す者たれ、と。**

# 生活困窮者への協力

日々が、コロナ、コロナ。テレビは、不景気、不景気。国会も、援助、援助。どうしてこうも一律になるのであろうか。今こそ少しでも建設的な独自の見かたが必要ではないのか。

コロナ災禍の元凶は、中国は武漢市。しかし、今や中国政府はケロッとして世界諸国の健闘を祈ると言わんばかりである。

となると、中国が尊大なのは……と非難することになろう。しかし、それは定型的なステレオタイプな物言いで、中国はどう非難されようと苦にしている様子はない。

なぜか。実は、中国は災禍に慣れているのである。その災禍の内、感染症関係は疫《えき》災《さい》と称する。今回のコロナ禍はその最新のもの。

この疫災の中国史を振り返って見てみよう、と言っても紙幅が不足。そこで時代を限る。令和二年の今、歴史物で日本人が楽しんでいるテレビ番組は、ＮＨＫ大河ドラマ「麒麟《きりん》がくる」であるから、その同時代の中国における疫災の例を列挙してみよう。時は明《みん》王朝の時代で、神宗《しんそう》皇帝が即位した万暦元年（一五七三年）に始まる万暦時代の「大疫」と記された蔓延《まんえん》地を示すと次のごとくである。「大疫」とは、非常に広がった感染症のこと。

元年・棗陽《そうよう》。七年・考義。八年・遠州。九年・潞《ろ》安。十年・成安。十二年・徳安。十三年・曲県。十五年・潞安。十六年・厳州等の湖広一帯。二十二年・姚《よう》安。二十五年・大理。二十六年・蜀《しょく》の全地域。二十九年・貴州。三十四年・衛《えい》州。三十七年・武定。三十八年・陽曲。三十九年・沁《しん》州。四十年・嘉興。さらに四十一年・四十五年・四十六年と大疫が続き、神宗は万暦四十八年に崩御。

因《ちな》みに、日本で言えば、万暦元年は、織田信長が将軍足利義昭を追放。同十年は、本能寺の変。同四十三年は、大坂夏の陣、豊臣氏滅亡。

秀吉は朝鮮出兵後、明《みん》への進軍を考えていたが、こんな長きにわたる多くの感染地ではどうしようもない。行かなくて良かった。

この疫災に対して、「死者　甚《はなは》だ多し」「一家全《すべ》て疫者《えきしゃ》」「（死者からの感染を虞《おそ》れて）敢《あえ》て弔問《ちょうもん》せず」「全家死す」等といった記録が見える。単なる病気ではないことが分かる。

こうした疫災は、右の時代以外、絶えず記録されている。中国の歴史は疫病流行のそれでもあった。ただ、国土が広く、しかも交通方法が徒歩中心であるから、人の交流は限定的であったので、全域同時の大流行ではなかったようではある。あえて言えば、疫災はどこかで絶えず発生しており、中国人は疫災に慣れていると言えようか。

しかし、もちろん疫災は遊びごとではない。人々は苦しめられてきた。当然、政府はどう対処したのか、ということになる。その方法の内、現代においても参考になるものがあるのではないか。探ってみよう。

中国は今も農民が多いが、かつて農業は中心産業であった。その耕田の際、動力として牛が必要。そこで、疫災でつぶれた農家に対して、政府が金銭を貸して他人の牛を借りさせ、農業を継続させていたのである。

つまり、疫災があったからと言って金銭をただばらまくのではなくて、その人の労働の継続ができるように貸していたのである。

前近代の中国でもそうした前向きの救済があった。現代日本なら、さらに進んで相互扶助ができるのではなかろうか。

例えば、ともあれ経営が成り立っている会社を例としよう。会社は社員と話し合い、計画的に社員が有給休暇を取る。その日数掛ける四千円分を会社に寄附してもらう。会社も同額を寄附。すると併せて日当八千円で、コロナ禍で失業した人を何日かは雇用できよう。その寄附分は、社員・会社ともに税控除の対象に該当すると政府は決めればよい。これは、日本人同士の助け合い精神である。

また、この際、日本政府は本気で、荒廃しつつある全国の山林管理の仕事を貧しい大学生に与えてはどうか。十分な対価を与え深山で働かせる。学生は退学することなく、夜は配信授業で猛勉強する。奨学金などにぶら下がるな。学生は自力で生き、政府は資源の安定を図れる絶好の機会ではないか。日本人なら必ずできる。

老生、かつて若者のための森林管理士・離島管理士（ともに公務員とする）制度の提案をしたことがある。念のため言い添えておこう。

**『史記』蘇秦《そしん》伝に曰く、禍《わざわい》を転《てん》じて（逆手《さかて》に取って。「因《よ》りて」も同じ）、福《ふく》と為《な》し、敗《やぶる》（失敗）に因《よ》りて、功《こう》（成功）を為《な》す、と。**

# お上《かみ》にぶら下がりでいいのか

不要不急の外出を控えよ、とのお上《かみ》のお達しが出て何カ月か経《た》った。それを律義に守る老生、家にずっと籠《こも》る日々。

それに比例して、毎日毎夜テレビや新聞、雑誌等の論説・意見・感想を数多く見聞し、そこに共通性三点を感じた。

まず第一点は、不平不満、文句たらたら、その攻撃の標的はただ一つ安倍晋三政権である。

人間、不平不満感があるときは、必ず他人も同感する攻撃対象を作って解消しようとする。その典型である。

それが嵩《こう》じて、襤褸《ぼろ》が出た。立憲民主党の蓮舫《れんほう》議員である。大学生の内、コロナ不況で退学せねばという情況もあるのを元に、そうなると高卒になるではないかと、政府に対してヤクザ顔負けの因縁をつけていた。これは何を隠そう、彼女が本性として低学歴者に対する〈差別〉観を持っていることを示している。

第二点。では、その不満の解消方法を示しているのかと言えば、ただひとつだけ。すなわち、とにかくほしいのは、援助、支援、予算。つまりは〈ゼニカネ〉なのである。

しかし、常識的に言えば、金銭が必要なときは自己の蓄えを使うというものではなかろうか。もちろん、日ごろは贅沢《ぜいたく》や浪費の生活とは無縁な生活をしてきて、だ。老生など、践歴《せんれき》も含めての八十四年の歳月、遊旅だけに出たことは一度もない。たまたま所用で訪れた土地で、その周辺を巡るぐらいのものである。

ところが、マスコミが情けない。いわば遊興的職業の客が減ったと大騒ぎしている。そういう問題点は問わず、ひたすら政府の援助をと、がなりたてている毎日。恥などない。

これは、日本人の心底にある〈お上《かみ》へのぶら下がり〉根性に他ならない。日頃主張の〈自立・個人主義〉はどこへ消えていってしまったのか。

お上はお上で、援助金を出そうと決めている。なんと約二十六兆円もの補正予算。どこにそのような大金の余裕があるのか。

第三点。その補正予算の財源として、堂々と「赤字国債」とあった。

老生のような昔人間、気の小さい元公務員、悪は許さぬとする元教員としては、「赤字」と明記した上で、つまり収入は借金でということで予算を組むなどという度胸はまったくない。

しかし、マスコミは赤字国債を非難しない。ただ、赤字が増え大変なことだと他人《ひと》事《ごと》のようにつぶやくだけだ。

それでいいのか、ここはそれこそ衆知を結集して、日本の将来に禍根を残さぬための建設的な提案をすべきである。マスコミ諸発言者は、感情的否定に終わってはならないのだ。

男女平等の今の時代、言いにくいことではあるが、あえて言おう、「男児たる者、公《おおやけ》に発言するときは、建設的で独創的意見を述べよ」と。

そこで老生は、前述したように、コロナ禍に対してこれから政府が準備せねばならない兆単位の予算の独創的作り方を献策したのである。すなわち〈日の丸国債〉を発行してはどうかと。

もちろんその案は赤字予算ではない。だからコロナ問題後は、今の気の遠くなるような千兆円も越える赤字国債を十年間ぐらいで解消できる最強の安全な方法となる。

老生のその新提案に対し、おそらく首相周辺の経済畑出身の人士は、あれこれと小理屈をこねて反対することであろう、何を素人が、と。

しかし、危機に際して、大功を建てようと思えば、周辺の小理屈雑音に耳を貸す必要はない。国家全体を見る眼のない衆愚会議に頼らず、思い切った力強い決断を首相がなされることを心から進言申し上げる。

首相が、老生ら草莽《そうもう》（民間人）の声を取りあげ、果断に実行されるとき、大いなる希望が現れ、コロナ禍に悩む国民に元気を、いや勇気を与えることになるであろう。

**『戦国策』趙策《ちょうさく》上に曰《いわ》く、大功を成す者は、衆に謀《はか》らず、と。**

# 第一章　日本文化の深層

# 元号「令和」の出典

前《さき》の天皇は上皇《じょうこう》となられ、皇太子のご即位も成り、令和時代が始まった。ただただ慶祝、慶祝。

もっとも、新元号「令和」についての議論は今や消えつつある点、中国哲学・中国古典学研究者の老生、それは不承知。

令和の出典は『万葉集』の或《あ》る〈序〉からと公表された。早速、その序は中国の『文《もん》選《ぜん》』中の帰田賦《きでんのふ》を踏んでいるので『文選』を出典とすべしとの意見が現れた。妥当である、そこまでは。しかし中国古典学的には、もう一歩の踏みこみが欲しい。借問《しゃもん》す。出典とされた帰田賦の言葉に、さらなる出典はないと断言できるのか、と。

現代における古典学は、修養のためではなくて、広く優れた古典一般の実証的客観的研究である。しかし近代までの伝統的古典学はそれと異なり、本書「始めに——古典の知恵とは」において述べたように、古代の聖人（人格・識見ともに完成された人物という理想像。現実に存在していたかどうかは別問題）が集めたり発した言葉を〈述べる・祖述する〉ことであった。多くは注解の形。そしてその教養の下、己の表す詩文自体において聖人の言葉をできるだけ多く鏤《ちりば》めてきた。

その結果、心ある人は聖人の文献（『詩経』『書経』などの経書《けいしょ》）を懸命に学習し暗誦《あんしょう》してきた。だから後世の詩文には経書の言葉が至る所に見えるのである。

例えば経書の『儀礼《ぎらい》』士冠礼《しかんれい》に「令月吉日、始めて元服を加ふ」とあり、漢代（世紀）の大注釈家の鄭玄《じょうげん》は「令・吉みな善」と注する。また経書の『周礼《しゅらい》』保章氏に「十有二（十二カ月）の（各）風を以て、天地の和を察す」とある。この保章氏という職は一種の占師であり、空気（風など）から体感して、善き日、悪しき日を知り判断する。すなわち「令月」や「―風……和」という対語はすでに存在しており、『文選』帰田賦の作者はそれらを踏んで引いたのであろう。正統的詩文である。

となると、令和は『万葉集』を出典とし、同箇所は『文選』を出典とし、それはさらに経書の『儀礼』『周礼』などを出典とするという話になってゆく。

というような理屈を捏《こ》ねるのが、老生ら中国哲学・中国古典学者であるから、世人から嫌われるのも、宜《むべ》なるかな。

そういえば思い出した。朝日・毎日新聞それぞれが、今回の年号案作成者に中国哲学系の人物が一人もいなかったのは、中国哲学研究の衰落を示すという趣旨の記事を載せて貶《けな》していた。

ご心配下さり感謝いたしまする。われら中国哲学・中国古典学者は、昔から少数精鋭で人知れず深く研究しております。では腕試しに中西進（国文学専攻）ら年号案御用学者殿にわれらの剛速球を一つ。果して打ち返せるかな。

経書の『礼記《らいき》』月令は、政治（かつては天子が代表者）の在り方を月毎《つきごと》に述べている重要な必読文献である。

その年始の一月において、民に対して「徳を布《し》き、令（禁令・法令）を和らげ、慶（賞）を行ひ、恵（物）を施しめ」とある。原文中の「和令」を取り出して訓読すると「令を和らぐ」すなわち「令　和らぐ」、すなわち「令和」ではないか。

さらに踏みこめば、税の軽減、近くは消費増税先送り論に通じ、民の暮らしに配慮する令和の御代《みよ》の出発となろう。斯《か》く眼光紙背に徹するのが、中国古典学者ぞ。

**『詩経』小旻《しょうびん》に曰く、人（小人・御用学者はただ）一を知るのみにして、その他を知るなし、と。**

〈追記〉中西進は年号「令和」の発案者とされ、諸処で本人みずから「令和」の出典を『万葉集』と称して、それを広めている。しかし、それは誤まりである。月刊誌『Hanada』二〇一九年七月号所収の老生のコラム「一定不易」にその誤まりを完璧に論じている。その大筋は、本章のこの項の論述に同じ。

## 全国戦没者追悼式は宗教行為

日本人が驚く中国語の一つは「加油（チアヨウ）」。この「油を加えよ」は「頑張って」に当たる。もっとも中国語では分かりにくいので日本語流に読むと「加油（かゆ）して」となる。しかし「かゆ」と言えばお粥《かゆ》さんのことだから、ちとしまらない。

張明澄のエッセーに依ると、「加油」のほか「認真（レンチエン）」も使うとのこと。その「真を認《わきま》えよ」は「真剣に」の意の「頑張って」である。けれども、これをそのまま日本語読みすると「認真（にんしん）して」――おっと。というふうに、ことばは使い方一つで違う意味になってしまう。その典型が八月十五日の全国戦没者追悼式。

同式典は政府主催であり、両陛下ならびに首相以下の首脳が参列するのであるから、〈国葬〉に対して言えば〈国祭〉に当たる。だが、メディアはこの〈祭〉の意味がどうやら分かっておらず、例えば「会場祭壇中央にある全国戦没者の標柱」と伝えている。

標柱とは、しるしの柱ということ。すると「全国戦没者之霊と書いて突っ立ててある柱」ということか。もしそうだとすれば、単なる看板や標札の類《たぐい》と変わらぬ。看板や標札に向かって恭《うやうや》しく拝礼してどうする。

実は、主催者の政府が〈祭〉の意味を知らずに書き誤っているのである。すなわち、いくら「全国戦没者之霊」と書いた柱を立てても、式典会場の日本武道館にその神霊は存在していない。

式典において、われわれが誠を尽くして諸霊をお招きし、それに感応された全国戦没者万霊が天上から地上に降り立たれる。その諸霊が憑《よ》りつかれる場所（依《よ》り代《しろ》）として設営されたのが祭壇中央の柱なのである。霊魂の在《いま》す場所なのである。だから場所を表す「位」字が必要。正しくは「全国戦没者之霊位」と書くべきである。この依り代は、儒教における木主《ぼくしゅ》（神主《しんしゅ》）であり、日本仏教はそれを導入して位牌《いはい》と称している。

人間の死後、その霊魂の存在を認め、生者遺族がその霊魂を招き降して出会い、慰霊鎮魂をする〈祭〉が、東北アジアの死生観の具体的行為であり、その本質はシャマニズムである。この〈祭〉は歴《れっき》とした宗教行為である。つまり、全国戦没者追悼式は政府主催の宗教行為そのものの〈国祭〉なのである。

ところが、主催者の政府は依り代に無知で、「位」字を書き落としたままの毎年。もっと滑稽《こっけい》なのは、この追悼式を無宗教と思いこんで、その定着版としての「無宗教の国立追悼施設の建設を」と述べた河野洋平衆院議長（当時）。どうしてこう無知で愚かで浅薄なのだろう。霊魂の存在を認めること自体が宗教であることが分からぬのか。

多くの日本人は、主として日本仏教を通じて、幼少のころから慰霊鎮魂の場に接し、誠を尽くすことを心得ている。仏壇の前での日々のお勤めがそれにつながっている。そういう国民的宗教心があってこそ全国戦没者追悼式が国民に支持されていることを、政府とりわけ保守政権は確《しか》と胸に刻むことだ。われわれ日本人は諸霊に対して粛然《しゅくぜん》と襟《えり》を正し、慰霊する。

**『論語』八佾《はちいつ》に曰く、〔祖霊を〕祭れば〔祖霊が現世に降り立ち、眼の前に〕在《いま》すがごとし、と。**

## 土葬の正統性を知らぬ社説

東日本大震災発生後、被災者に対して心ない人がいたのは残念だった。その筆頭は内閣府の原子力安全委員長であった。

福島原発に最初の問題が起きたとき、同委員長が報道関係者に会見したシーンをテレビが報道していた。なんと彼は笑いながら答えていた。

委員長は原子力安全に関わる最高責任者ではないか。その人間が笑いながら対応するとは。責任者には心構えがなくてはならない。とりわけ死に関わるときは。

その切実な問題として、遺体への対応がある。東日本大震災で、多数の死者が出たが、可能なかぎり遺体を捜索し安置してきた自衛隊・警察・消防諸氏には敬意を表する。しかし、時は無情に過ぎゆき、身元確認が困難な遺体を埋葬する必要が出てきた。ところが、その方法をめぐって意外な議論が起こっていた。例えば、宮城県名取市の佐々木一十郎《いそお》市長（当時）は、「この地方では土葬に対し抵抗感があり、遺族の悲しみが増すようなことはしたくない」と苦渋の決断（東京都に火葬依頼）に踏み切ったという（毎日新聞）。

同紙は社説（平成二十三年三月二十八日付）でも「火葬を望む遺族感情」と明記した上で「土葬への抵抗感はあるだろう。しかし、今の状況を勘案すれば、自治体側の『土葬でもいいから安らかに眠らせてあげたい』という苦渋の選択も理解したい」と述べている。

私は目を疑った。文中の「土葬」は「火葬」の、「火葬」は「土葬」の誤植ではないか、と。

結論だけを言おう。（1）儒教文化圏（日本・朝鮮半島・中国など）では、土葬が正統である。それは儒教的死生観に基づいている。（2）火葬はインド宗教（インド仏教も含む）の死生観に基づいて行われ、火で遺体を焼却した後、その遺骨を例えばガンジス川に捨てる。日本で最近唱えられている散骨とやらは、その猿まねである。（3）日本の法律で言う「火葬」は遺体処理の方法を意味するだけ。すなわち遺体を焼却せよという意味。その焼却後、日本では遺骨を集めて〈土葬〉する。つまり、日本では（a）遺体をそのまま埋める〈遺体土葬〉か、（b）遺体を焼却した後、遺骨を埋める〈遺骨土葬〉か、そのどちらかを行うのであり、ともに土葬である。（4）正統的には（a）、最近では（b）ということ。（b）は平安時代にすでに始まるが、一般的ではなく最近ここ五十年来普及したまでのことである。

（a）遺体土葬が主流であった理由は、拙著『儒教とは何か』（中公新書）や、『沈黙の宗教――儒教』（ちくま学芸文庫）や、『大人のための儒教塾』（中公新書ラクレ）が詳述しているので読まれたい。これは決して自著の自己宣伝などというケチな気持ちでなく、東日本大震災からの復興推進のためを思ってである。

東北の方々よ、遺体土葬は決して非常手段ではない。いや、それどころか、むしろ伝統的であり死者のための最高の葬法なのである。

もちろん、遺族の気持ちは理屈だけでは割り切れまい。死者に対して行きとどかなかったという思いがずっと残るかもしれない。

**『論語』八佾《はちいつ》に曰く、喪《そう》（葬儀）は、其《そ》の易《おさ》まらん（行きとどく）よりは、寧《むし》ろ戚《いた》め（心から哀《かな》しめ）よ、と。**

## 西暦化は〈信教の自由〉の否定

近ごろ気になるのは、事件や事柄の時間を指すとき、よく西暦で示されていることである。例えば、サンフランシスコ講和条約は一九五二年に発効したと記してはいるが、それは昭和二十七年だという年号を記していない辞書が多い。

これには抵抗を覚える。まずは年号を記すべきではないのか。わが国にとってという立場がまずあるべきだからである。

しかし、近ごろは頭から西暦で言う人が増えてきており、メディアでは西暦で書くことが多くなってきている。

その点、産経新聞は、紙面の上欄の外に示される日時について、まず年号、その次に括弧づきで西暦。これならよろしい。

一方、他紙はその逆で、まず西暦を記し、その次に括弧づきの年号を記している。おそらく今後は西暦が中心となり、年号は付けたしになる可能性が大きい。テレビにおける発言では、西暦で示すのが、もうふつうとなってきている。それでいいのか。

老生は、よほどのとき以外、必ず年号で示す。西暦感覚はまったくない。その大きな理由は、老生はキリスト教徒でないからだ。

キリスト教と西暦と――これはぴったりと重なる。すなわち西暦とはキリスト教暦のことなのである。キリスト教を開いたイエスの生年（その真実には異説があるが）を元年としての暦である。

けれども、世の中、西暦だけで動いているわけではない。イスラム教徒はイスラム暦を、ユダヤ教徒はユダヤ暦をそれぞれ使っているではないか。

いや、宗教的理由の暦ばかりではない。台湾では民国暦（中華民国成立の年である西暦一九一二年が元年）を使っている。

と主張すると、必ずこう言う者がいる。グローバル化の時代ですから西暦を使って世界共通でゆきましょうと。

愚かな話である。西暦とは、西欧キリスト教諸国がアジアなど各地を侵略して広めてきたものであり、それを勝手にグローバル化と言っているだけなのだ。

ところがまたこう言う人もいる。世界共通のコンピューターを使う今日、西暦で統一するのがよいと。大嘘である。郵貯も含めて日本の諸銀行の預貯金通帳を見るがいい。その日付はすべて年号であり、コンピューター上、なんの問題もなくちゃんと活きているではないか。

日本では年号を使うべきである。法的にもそれが正しい。早い話が、役所関係での諸届・諸申請等の日付はすべて年号である。

にもかかわらず、国会の委員会審議を聞いていると、野党の質問者の多くが例えば「二〇一五年度」と称している。法的にそのような会計年度は存在しない。あくまでも例えば「平成二七年度」である。ところがなんと、答弁する閣僚や政府側諸委員の中にも西暦年度を使う愚か者がいる。法的にはもちろんのこと、保守政権としては正しくない。しっかりと不動の信念を持つべきだ。

**『詩経』邶風《はいふう》・柏舟に曰く、我《わ》が心は石にあらず。転がすべからず。我が心は席《むしろ》（敷物）にあらず。巻くべからず、と。**

## 神具店はどこへ

何年か前、広島の孫が遊びにきて我家に泊まった。翌朝、老生は、いつものように神棚・仏壇の前でお勤め（礼拝）をする。それが終わったとき、参列した幼ない孫がふとこう言った。「うちには、神さまいないよ」と。

そうか、広島の家には仏壇はあるが、まだ神棚はなかったんだ、というわけで、彼らのために神棚を求めに出かけた。ところが、なんと驚いたことに、探しても神具店《しんぐ》がなかなか見つからない。

思いあまって仏壇屋を数軒訪れてみたが、どこも神棚を置いていない。それどころか、お前、見当違いよ、神と仏との区別もつかんのか、という冷たい目で見られた。

そんなこと言わず、神棚くらい置いておけ。わが日本は神仏混淆《こんこう》よ、知らんな、と腹の中では毒づいてみたものの、ないものはない。さて困ってしまった。

それなら百貨店、と行ってみた。やはりなかったが、さすがは百貨店、調べて親切に教えてくれた。家屋の関係の雑貨を扱うホームセンターにあるとのこと。

さっそく行きました。ありました。神棚は大工道具の横に並んでいました。

ホームセンターに神棚か。神道も落ちたもの。だが、よく考えると、神棚が大工道具と並んでいるのは、家屋は神聖なものとする伝統的大工の心と通ずるような気がして、ちょっとほっとしたものの、やはりなんとなくすっきりしない。

けれども、正月三が日の神社のあの人出、例大祭や七五三の折のにぎわい等を思うと、日本人の神社に対する敬意は失われていない。

寺院の場合も同じ。有名寺院へは観光目的かもしれないが、年忌法要や盆や彼岸の折の寺院では、香煙が絶えない。

とは言え、おのおのの家において、神仏との日ごろの関わりはどうであろうか。神棚がなければ、「うちには、神さまいないよ」となってしまうのではないか。

もし神棚・仏壇がないならば、神仏に対してお勤めをするという毎日の行為――習慣と言ってもいいが、それは生まれようもない。

これでは神道・仏教を支える基盤がしだいに崩れてゆくのではあるまいか。特に神棚の場合、それを備えている家庭は非常に少ないことであろう。

これを、神道関係者はどう考えているのであろうか。いや、踏みこんで言えば、どのようにすればよいのかという方策を立てているのであろうか。事は深刻である。

夏八月が来ると、いつものように靖国神社問題が出てくる。しかし、議論はたいてい空転する。そして左右たがいに罵倒《ばとう》しあってなんとなく終わりとなる。

静かな説得力は、日ごろ神仏に礼拝し奉る人のことばに依るべきである。靖国神社側に立つ人といえども、果して家に神棚を設け、毎朝、お勤めしているのかどうか、それは定かではない。

日本人が日本人らしく、神仏への崇敬心を保っているならば、本来、靖国神社問題など起こりようもないのではないか。神具店が姿を消し、神棚がホームセンターにやっと残っている現実は厳しい。

美しい絵の色どりを施して成功するには、先《ま》ずその下地《したじ》をしっかりと作らねばならない、のではないか。

『論語』八佾《はちいつ》に曰く、絵《え》の事《こと》は、素《そ》（下地）より後《のち》にす、と。

## 二十年ごとの新造と千年にわたる墨守と

平成二十五（二〇一三）年十月上旬、二十年ごとに社殿を新しく造営し、前から在《あ》る旧社殿におわす御《ご》神体の鏡をこのたびの新社殿に移し奉る遷御《せんぎょ》の儀（式年遷宮）を、神宮（伊勢）は行なった。同慶の至りである。

聞けば、出雲大社も六十年に一度の遷宮が平成二十五年に行なわれた。これも万賀、万賀。

老生ごとき下々の者は、遙《はる》か遠くよりあれこれ想像するほかないが、諸解説の中には、いささか疑問を覚えるものがいくつかあった。

その筆頭は、二十年ごとの新造営は神社建築技術の伝承を確実にするためという説である。二十年ごとに必ず新造するので、技術が次世代に確実に伝えられ、今日まで絶えることがなかった知恵だと言う。

しかし、疑問である。もしそれが本当なら、先述の出雲大社の場合はどうなる。六十年も先では、技術が絶えることとなる。にもかかわらず、新造しているではないか。これはどうなる。

世には宮大工・寺大工という職がある。彼らは、年間を通じていろいろな寺・社の仕事を請け負い、絶えず寺社建築を行なって技術を鍛えている。もちろん、昔ほど仕事は多くはないが、寺社の大きな仕事は続いている。

技術・技能は、連続的な日々の継承がなければ、すぐ廃れる。例えば老生の場合、ある時期、中国語会話はかなりできた。しかし、寄る年波で茅屋《ぼうおく》に籠もる生活の多いここ二十年、その技術は著しく低下した。ほんと。大阪弁なら、ほんま。

老生、想像であるが、こう思う。これは平均寿命の問題かと。すなわち、老生ら漢文屋は、古代人の人生を一世三十年と計算する。もし人間五十年と言えば夢幻《ゆめまぼろし》でなくて、本当に長生きだ。

『論語』に「後生《こうせい》（後輩）畏《おそ》るべし」とあるが、一世三十年とすれば、先輩後輩の年齢は近く、ほぼ同年輩の感じであっただろう。もっとも孔子は七十三歳まで長生きしたが、これは例外。

とすると、三十年の人生中、継いでゆく当主の活動期間は二十年ぐらいか。だから、創業百年と言えば五代目か。

式年遷宮に真剣に関わるのは、大工も参列者も生涯にただ一度という厳粛さに大きな意味があるからではなかろうか。

一方、法隆寺。式年遷宮の始まりよりは少し前に建立されてから約千四百年、火災は別として、ずっとそのままである。

これまた凄い話。古き良きものを守り続けているのは、日本人の底力である。

二十年ごとの新造と千年以上もの墨守との両者には、正反対のものを併せ持ってゆく日本人のしたたかさがある。

新造―宋代の王安石曰く、変《へん》を尚《たつと》ぶは天道なり（「河図洛書義《かとらくしょぎ》」）、と。

墨守―明代の王廷相曰く、千古を閲《けみ》して（経《へ》て）変はらざる者は、気種（物の素《もと》）の定まる有ればなり（『慎言』）、と。

変不変と言えば、米国人に造らせられた日本国憲法を後生大事に抱えて七十余年、守れ守れと言う人々がいる。しかし同憲法に不変の真理があるわけでなし、千年（千古）経っても変わらない金石でもなく、まして生き続ける法隆寺のような価値はない。第一、改正の条項が憲法中にあるではないか。

**『論語』子罕《しかん》に曰く、後生畏《おそ》るべし、と。**

## 日本国憲法——抑止力なき個人主義

平成二十二（二〇一〇）年二月末から三月初めにかけての新聞報道を読むのは、つらかった。児童虐待の記事である。

立て続けにそういうニュースが出た。平成二十一年秋から数えても、私の手元に七人の幼少児の名が記録されている。一人は二カ月の乳児。

あまりの悲惨、あまりの哀れさ――この子たちがどれほど苦しかったことであろうかと思うと、胸の張り裂ける思いであった。

私ども老夫婦は、家の仏壇にこの子たちの紙牓《しぼう》（紙位牌《いはい》）を立て、涙ながらに供養をし続けている。真言宗信者の作法に従い、般若心経一巻、光明真言をはじめとして諸真言を誦《しょう》し奉る。わけても、地蔵菩薩の御真言「おんかかかびさんまえいそわか」――それは声にならなかった。

幸《さち》薄く去ってゆくあの子たちに対して、この老夫婦ができることは、ひたすら菩提《ぼだい》を弔《とむら》い、供養を続けるほかない。私どもになにができようか。「回向有縁無縁一切之精霊《えこううえんむえんいっさいのしょうりょう》」とだけでは私の気がすまない。「回向……君の精霊」とあの子たちの名を呼んでいる。それがせめてものお詫《わ》びの気持ちである。あの子たちの恐怖の毎日を思うと、救うことのできなかった私ども大人の罪は重い。

これらの事件を特殊個別的なものとすることは、私にはできない。戦後教育、わけても義務教育において、東北アジアにおける死生観の〈私たちの生命は、祖先以来の生命の連続として存在する〉という儒教的伝統をほとんど教えてこなかったことに根本的原因があると私は思っている。

戦後教育の柱は、個人主義の涵養《かんよう》にあった。しかし戦後教育は、自己責任を自覚し、自律的にして自立的な個人主義者を生むことはできず、個人主義者とは似て非なる利己主義者をひたすら生み出すばかりであった。

なぜか。

欧米人が個人主義教育を可能にし実現してきたのは、ともすれば個人主義の自律からはずれようとする人間に対して、それを許さぬ抑止力として、唯一最高絶対神を置いていたからである。キリスト教がその典型。もちろん欧米人に無宗教者はいる。それらの人は当然に利己主義者となる。

一方、われわれには個人主義という思想はなかったが、東北アジア流に自律してきた。それが可能であったのは、われわれ凡人への抑止力として、それぞれの祖先を置いていたからである。「御先祖さまが許さぬ」という、われわれの抑止力は、かつては生きていたのである。自己の祖先を祭り〈生命の連続〉を実感しつつ生きてゆくこと、それは儒教的な死生観なのであるが、今日では、日本仏教の中に融合されている。

戦後教育においては、祖先という抑止力を教えてこなかったため、抑止力なき個人主義教育からは、ただ利己主義者を生み出すのみとなった。そういう利己主義者が頼るのは金銭だけである。当然、祖先も、祖先以来の生命の連続の大切さ、厳粛さも分からない。ひたすら求めるのは日本国憲法の「婚姻は両性の合意のみに基づく」夫婦の幸せだけであり、子を虐待し〈殺人〉して恥じぬ人間の屑《くず》を生んできたのだ。

いずれこの屑どもの裁判となる。私は検察官の重罪求刑、裁判官・裁判員の重罪判決を願ってやまない。

**『論語』八佾《はちいつ》に曰く、罪《つみ》を天《てん》に獲《う》れば、〈許してほしいと〉祷《いの》るところ無《な》し、と。**

〈追記〉平成三十一年一月、またしても両親の虐待によって、十歳（小学校四年生）の栗原心愛《みあ》ちゃんが殺されたことが発覚、下手人の両親は逮捕された。紙牓に彼女の名を記し、私ども老夫婦、涙し続けて供養している。屑どもには厳罰を、必ず厳罰を。

本書刊行直前、令和二年六月、三歳の梯《かけはし》稀華《のあ》ちゃんが餓死した。母親が女児が家の外へ出られないようにして九州の男のもとへ行き、八日間も放置したためである。老生、言葉もない。紙牓に記し、怒りとともに供養の日々。鬼母への厳罰を願うのみである。

# 日本人は多神教そして〈家の宗教〉

老生、一念発起して書斎の机回りを整理した。ゴミ屋敷状態で、どこに何を置いたのかも定かでない。まずは左手の切り抜き記事の山を解体中、面白いものに出合った。平成三（一九九二）年九月十五日付新聞に、総務庁（現・総務省）が世界諸国における『老人の生活と意識に関する国際比較調査』の結果を発表している。

それに依れば、老人にとって一番大切なものは、各国共通して、「家族・子供」となっている。なるほど。

では二番目はと言えば、アメリカは「宗教・信仰」で三七％強。イギリス・ドイツは「友人・仲間」でそれぞれ三七％・三四％強となっている。

さて日本はとなると、二番目に大切なものは「財産」で三七％強であるのみならず、前回の調査（昭和六十一年）のときよりも、大きく九・五ポイントも増えており、老人の財産志向は一段と強まっているとしている。ちなみに、韓国も二番目は「財産」で三二％強である。

　一方、日本は五番目に「宗教」を挙げているが、五％強にすぎない。

このデータは、今から三十年近くも前のものであって、現在はどうなのかは知らな
い。しかし、昨今の感じからすれば、日本人が大切にするものの項目として「財産」が増え、「宗教」が横ばい、あるいは減となっているのではあるまいか。
という話になると、日本人は、ゼニ・カネの亡者であり、心や宗教に何の関心も持たない俗物であるといった結論に流れやすい。

しかし、そうした結論は早合点にすぎず、真実にほど遠い。

周知のように、日本人の多くは多神教徒であるから、一知一能の専門能力的な神・仏（例えば、学業の神である天神様や病気平癒の仏である薬師様）に必要あるときに参拝して、初穂料やお布施を納めて安全・成就祈願をし、現世利益を求める。つまり、必要なときにその方面に力のある神・仏を選んでそこに参拝するのであって、ふだんは関係がない。そういう形の宗教であり信者である。

一方、キリスト教のような一神教は、全知全能の絶対最高のお一方《ひとかた》をのみ崇拝する宗教であり、常にその絶対者を意識する信者でなくてはならない。

そういう違いがあるだけであって、どちらが上とか下とか、真の宗教かどうかなどという議論は成り立たない。キリスト教・イスラム教など一神教の関係者が勝手に自分たち一神教が最高で多神教はその下と言っているだけなのである。

という点から見ると、アメリカ人は、〈一神教としての宗教〉を意識するから「宗教・信仰」項目の数字が高く、日本人にはそういう一神教的意識がないからその数が低いにすぎない。多神教的信仰からとなれば、日本人の「宗教・信仰」はアメリカ人のそれよりもはるかに多い数となるだろう。

日本人の宗教の根本は〈家の宗教〉であり、家の祖先(神・仏でもある)を中心に祭《さい》祀《し》を行い、かつは多神教であるという説明や意識を抜きにしていくら調査をしても、実態からほど遠い結果となるだけだ。日本人の〈家の宗教〉の意識は今も健在である。

**『論語』学而《がくじ》に曰く、終はり(父母の喪)を慎み、遠き(祖先)を追ふ、と。**

第二章

# 国民国家とは

# 徴兵制は悪なのか

朝日新聞社主催の高校野球の試合をテレビで観《み》ていて、ふっと思った。ああ、今の日本人の様《ざま》をよく現していると。

それは、こうである。老生が野球少年だったころ、外野手は、フライであろうとゴロであろうと、抜かれた場合は別として、その他は、必ず自分の身体の正面で止めるのが原則。すなわち、もし自分が止めることができなかったら、球は転々《てんてん》後方へ抜けてゆき、長打となってしまうからである。だから、ともあれ身体を張って止めるのが原則。

ところが近ごろは、みな片手捕り。それも来たボールに対してわざわざ身体を横にずらしての上だ。あぶない、あぶない。もし捕り損なったらどうなる。そういう危ないスタンドプレー、それは、プロ野球のプレーを真似ての、エエかっこしいである。

近ごろの選手は基本を守らず、監督も解説者も何も言わない。

基本を守る——これはスポーツのみならず、人間として当然のことである。ところが、最近の日本人は基本を守らず、いや忘れて片手捕りのスタンドプレー。そして捕り損なってボールははるか彼方《かなた》に転々。右往左往。それを何度もくり返している。特に目立つのは国家問題においてだ。

わが国最大の国家問題は外交と国防とである。しかし、この二点において、ともに基本を忘れている。

まず外交問題。或る戦争があって、それが終結後、当事者間で講和条約（或いはそれに類したもの、準じたもの。例えば日中平和友好条約。戦争はなかったが独立承認の日韓基本条約）を結んだ後は〈双方にそれぞれ不満があっても、それには一切触れない〉で未来への新しい関係を作ってゆく。それが講和条約の意義であり、基本である。

謝罪等々は、道徳的問題であり、法的問題ではない。法的立場に立つ政府は、謝罪等々の道徳的立場を国民から委ねられていない以上、謝罪等々をなすべきでない。もし謝罪等々をすれば、国民の預託を超えた越権行為であり、過誤である。そういう片手捕りスタンドプレーをする限り、球は転々。

次に国防問題。近代以前、国家は王侯貴族国家であった。近代国家は国民国家である。すなわち、国家は国民のものであり、国民が国家を運営する。その運営方式はさまざまあるが、わが国は議会を通じての議会制民主主義の方針を採っている。

こうした国民国家である以上、自国は国民自らが守らなければならない。それが嫌ならば、亡国か外国の植民地になるほかはない。

つまり、国民国家である以上、徴兵制が基本である。自分たちの国家を守るためであり、徴兵と言っても、王侯貴族国家時代の〈税としての徴兵〉とは決定的に異なるのである。もちろん、基本は徴兵制としても、志願兵制や一部は外国人傭兵《ようへい》制もありうる。

ところが、近ごろの議論の大半は、始めから徴兵制を悪とする論調である。それは国民国家とは何かということがまったく分かっていない感情論である。こうした片手捕りスタンドプレーが国家を誤らせる。

**『礼記《らいき》』大学に曰く、心　ここ（対象）に在《あ》らざれば、〔物事を〕視《み》れども見えず、聴《き》きても聞こえず、食《く》らへどもその味を知らず、と。**

# 台湾留学生を除外する愚行

東日本大震災は世界の大ニュースとなった。この大事件に対して、世界のさまざまな国や組織、そして人々が日本の被災者のために義援金を送ってくださった。ありがたいことである。苦しいとき、つらいときに救援してくださる方こそ、真の友である。われわれ日本人は感謝を忘れてはならない。

もちろん、義援金の金額は問題でない。しかし、台湾（中華民国）からの約百七十億円は、近隣諸国からの義援金として突出している。

これは、台湾と日本との長い深い関係からきている。しっかりとした親日家が多いからである。

かつて私は台湾に留学した。ちょうど日本が中国大陸（中華人民共和国）と新しく国交を結んだ昭和四十七（一九七二）年九月、すなわち同時に台湾と断交した月の翌十月、台湾に渡った。

名古屋大学助教授という国家公務員の身分を前提にして、日本と国交のなくなった台湾が、私を受け入れてくださったわけである。しかも大歓迎されたのであった。

渡台後の生活において、公私ともになんの差別も受けなかった。のみならず、台湾の学者と私との間の合言葉は、「国家に国境あるも、学問に国境なし」であった。お蔭《かげ》で、希望すれば、貴重な文献を自由に閲覧することができた。例えば、四庫全書《しこぜんしょ》という、清《しん》王朝における最大の国家的企画である巨大叢書《そうしょ》（一七八一年完成）の原本（四セットの内の一つを台湾が所有・管理）を披見《ひけん》したとき、ぱーっと墨の香りが漂った。墨に依る写本だからである。その瞬間、まさに日中両国の〈筆硯《ひっけん》の縁〉に感動した。

しかし、平成二十三年七月九日付産経新聞に依れば、とんでもないことが起こっていたのである。

文部科学省は、東日本大震災の被災地の大学における私費留学生に対して、国費留学生並みに、三月《さんつき》の一カ月分（学部学生に十二万五千円）を奨学金として支給することにしたという。それは適切な処置ではある。

ところがなんと、台湾からの学部留学生は除外したのである。理由は台湾と国交がないためとのこと。

何を言う。緊急事態なればこその処置において、差別するのか。例えば、被災者に食事を提供するとき、国交がないという理由で台湾の私費留学生を除外するのか。

国交がないので日本国との関係が持てないと言うのならば、台湾の人たちに対して日本へのビザという法的許可がなぜ可能なのか、ということを始め、国交のない台湾に対して法的関係を作っている例をいくらでも挙げることができる。つまり、事実上は台湾と国交があるのだ。にもかかわらず、今回、なぜ除外するのか。一方、台湾に対して、民間からの義援金なのでと百七十億円はチャッカリいただきますと言うのか。

「疲馬《ひば》は鞭箠《べんすい》を畏《おそ》れず」（『塩鉄論』詔聖）と言う。疲れた馬は、判断不能となっているので、いくらむち（鞭箠）でたたかれてもまともに走れず、やたらと自分の思うままに進むの意。菅直人首相（当時）がそうであったが、疲馬も倒れる前に、せめて一つぐらいまともなことをすべきであった。すなわち文科省の〈天下の愚行〉を改めさせるべきであった。

学問に国境はない。

**『論語』顔淵に曰く、君子は文《ぶん》（学芸）を以《もつ》て友《とも》と会《かい》し（友人として交わり）、友を以て仁《じん》を輔《たす》く（たがいに人格を高めることを助け合う）、と。**

# 多数決絶対と生きた政治と

平成二十四（二〇一二）年、大騒ぎした総選挙は、メディアがほぼ予測した通りの結果であった。

開票速報のニュースを見ていると、なんと開票が始まったばかりなのに、もう当選確実と報道されたりしている。それもかなり多い。

出口調査すなわち投票済みの人に投票先を聞き、そのデータを元にして予想をはじきだすとのこと。それでほとんど当たるという〈推計学〉の威力には敬意を表する。

しかし、そんな出口調査だの、推計学だのに頼らずとも、投票終了と同時に結果がすぐ決まるものがある。それは、最高裁判所裁判官国民審査の合否である。

周知のように、否とする場合は×と書き、無地すなわち無記載だと合になる。するとほとんどの人は×をつけないので、結局は合。

この方式の欠点は、白紙すなわち棄権が認められないことだ。棄権のつもりの白紙が合(承認)になるのである。おかしい。

やはり、○×その他(無地・△・／など棄権や無効)の三種にすべきである。その昔は○×だった。いつのころからか白紙(無地)が合となってしまっている。
○をつけてもらってこそ信任ではないのか。白紙は棄権であり、結果的には非承認すなわち否ではないのか。それをごまかすのは、それこそ多数意志の無視である。
そのように多数意志を無視しておきながら、一方、やたらと多数意志を重視したのが、最高裁が出した国会議員の定数是正の判決だ。

これは、票の格差──有り体《あ てい》に言えば、都市住民の票数は地方住民の票数と同じ価値になっていないとする。すなわち議員一人を選出するとき、人口の多いところでは大量の票、人口の少ないところでは少量の票となっており、多数決の原則が反映されていないというわけだ。

これは「人口基準」という点、すなわち多数決なるものを馬鹿正直に守っての違憲判決。いかにも法律しか知らない連中の論理である。

国政は人口の多い少ないだけで運営されるものではないのだ。

例えば、国家として高収益・高能率だけを望むならば、新幹線とその途中の都市とだけを抜きとって独立し、日本と称せばいいではないか。

そうすると、北海道も沖縄も不要、まして尖閣諸島は不要……となってしまう。それで日本なのか。

そうではない。都市と地方とはたがいに寄り添って生きてゆく宿命にある。都市に人口が多いからと言って人口に比例して議員数を増やせば、都市に有利な立法そして行政となってゆくではないか。当然、地方は疲弊してゆく。それでいいのか。

公共投資を軸にして、これまで、日本は都市と地方とが助けあって生きてきた。それをしてこなかった隣国の中国における地方の悲惨な状況を見よ。

人口基準だけに拠るという、単純な子供向きの多数決絶対は、白紙合格の〈不適格〉最高裁裁判官による法律教条主義に基づく主張であり、それと生きた政治とは別なのである。最高裁判決どおりに議員定数を是正すると、将来、地方はえらい目に遭うことであろう。

**『後漢書《ごかんじょ》』仲長統伝に曰く、君子〔が〕法制を用ふれば、〔世の開〕化に至る。小人〔が〕法制を用ふれば乱に至る、と。**

# 消費増税の不公平感

「カーラアス、なぜ鳴くの」に始まる童謡の歌詞に、「かわいい七つの子があるからよ」とある。

この「七つ」は七歳ではない。七歳にもなる雛《ひな》がいては、親鳥もたまったものでない。これは「七羽」の子沢山《だくさん》の意。

さて、子沢山だと子供の間での餌の取りあい、勝ち負けによって成長に差がついてくる。

これは困る。そこで親鳥は七羽の雛に平等に餌を与えて育てているのだと『詩経』鳲鳩《しきゆう》はこう言う。鳲鳩《かっこう・ほほどり》桑に在り。この子《こ》七つ（七羽）。〔親鳥は公平に餌を与えて育てている。人間もそうあるべきで〕淑人君子《しゆくじんくんし》（立派な為政者）、その儀《ありかた》一《いつ》（均一）、と。

童謡はこの詩句を踏んでいる。そこで、ふっと近所の店のことが頭に浮かんだ。そこのオバちゃん、気に入った客には消費税を取らない。私などはいつも取られている。その店が免税事業者にあたる可能性もないではないが、税務署にきっちりと消費税(客からの預かり金)を納めていないのではなかろうか。納めるなら客から平等に取るはずではないかのう。

ということは、税務署は取りこぼしをしているのじゃ。

ということは、消費税の収入はもっと増やせるはずじゃのう。

ということは、消費税増税の前に消費税の徴収のしかたに問題、それ御座《ご》候《ざそうろう》。

ということは……となってゆき、消費税増税の必要が果してあるのかどうかというところにまで行く。そうなると、立法のとき、銭勘定《ぜにかんじょう》がっちりの外国の例なども調べたのだろうかという疑問が起きる。

台湾の場合を紹介しよう。

いわゆるレシートはなんと官製なのである。客が支払うとき、その金額と消費税額を打ちこんだレシートを客に渡し、控えは店に残る。台湾政府は、この官製以外のレシート(領収書)は認めず、またそのレシートが証拠なので、店はごまかしようがない。

日本もそのように、レシートの公的統一を図ることである。打ち出す機械は規格化もすればよい。店と税務署との間では、消費税に関しては通しナンバーのこのレシート以外の書類は不要。これによって消費税額をすべて把握でき、納付は完璧。

一方、客の場合、受けとったレシートがそのまま国発行の宝くじ券となっているのである。レシートに記してある番号（店の公的ナンバーや発行順など）が宝くじナンバーとなる。或る区切りまでのナンバー内が抽選の対象となるから、客はレシートを捨てないで当選を期待する。

この方式を日本に導入するならば、消費税の未回収分はなくなり、相当の増収となるのではなかろうか。そして、あの店のオバちゃんの消費税脱税疑惑?はなくなり、気に入った客だけへの割引もなくなり、私も納得して商品を買うことができる。

税収が不足だから増税するし赤字国債も発行すると言う前に、本当に税収不足なのかということ、また徴収する方法を工夫するといった努力があってこそ、政権への信頼が生まれるのであって、それをしないで単に信じろと言われても信ずることは、まずできない。その上、不公平感を与えるような制度では、だれが信ずるであろうか。

**『韓非子』外儲《がいちょ》説左下に、孔子曰く……国を治むる者は、〔公〕平を失ふべからず、と。**

# 国立大学の教職員・学生は国に感謝せよ

前記のように約五十年前、私は台湾に留学した。暑かった。わけても七月はすごかったが、驚いたことは、その時期に大学進学のための全国統一試験が、国家によって行われていたことである。

台湾の大学は、国・公・私立を問わず、この試験だけで入試の合否を決めるので、親も子も必死。

試験当日、付き添いの親がたくさん来ていた。昼食の用意をしてだ。しかし、会場側では付き添いのための休憩室などまったく準備しないものだから、炎天下、親たちは日陰を少しでもと求めて、あっちへうろうろ、こっちへうろうろ。

そこでこんな名句がある。受験を「考《こう》」、肉などを食べるために熱い火であぶることを「烤《こう》」と言うが、中国語の発音でも、ともに「カオ」なので、「学生（スエシェン）考（カオ）、父母（フームー）烤（カオ）」と。「カオ」の苦しみを同じくするというギャグの名句。では、そんな暑いときになぜ入試をするのかと言えば、欧米の場合と同じく九月入学だからである。

日本は四月入学（明治のころは九月だった）であるが、平成二十三年、東大が欧米などに合わせて九月入学にしたいと発議した。早速、諸大学が賛否いろいろ反応した。

その反対論を読んでみると、入試が二月・三月なので九月入学までの約半年の空白をどうするのか、授業料はどうなるのか、就職期との関係はどうなるか等々、手続きや制度やゼニカネの話がほとんどであり、国家的な観点はない。賛成論があったとしても、東大が言っているような〈国際化〉などという外国に合わせた話にすぎない。

私はまったく別の観点で九月入学に賛成し、こう提案する。高校の三月卒業後の、空白の半年間は、自衛隊に正規入隊せよと。

国立大学の教員・学生は、いったいだれのお蔭で研究・教育の場を与えられているのか、分かっているのか。もちろん国民の血税のお蔭ではないか。とすればまずは国家に感謝し国家のために尽くすべきである。

また、外国からの攻撃を受けず、平穏に研究・教育を続けられているのは、自衛隊のお蔭である。

とすれば、国立大学男女新入生は、まずは国防の大切さを実感するために、自衛隊において、将校でなく一兵卒として諸訓練を受けよ（私学も希望者参加）。そして受験勉強で柔《やわ》になった身体や世間知らずの左筋《ひだりすじ》風の小理屈を敲《たた》き直せ。

半年、行軍・柔道・剣道・水泳などで身体を鍛え、救命方法やクレーン車を動かせるまでの技術を学び、合宿中多様な友人を作り、国家とは何かを談じ合い、日本人としての自覚を持て。

それは、個人の意識・身体の革命となるのみならず、自衛隊の価値、延《ひ》いては国防力を高める。なぜなら〈すぐれた国、日本〉の中心的大学生が国防への認識や覚悟を深めることに近隣諸国は脅威を感じるであろうからである。

半年後、研修旅行として自衛艦に乗り、北方四島・尖閣諸島・竹島・硫黄島等々を回遊することだ。

以上のための、仮公務員としての給与や国費による隊生活費などを出せる法整備や予算などを、防衛相は文科相と合議せよ。会ってコーヒーなど飲んでいる暇《ひま》はない。

**『論語』子路に曰く、〔軍事を〕教へざる民を以《もつ》て（用いて）、〔外国軍と〕戦ふは、是《こ》れこれ（民）を棄《す》つと〔同じを〕謂《い》ふ（意味する）、と。**

# 〈戦略的互恵関係〉などあるのか

近ごろ、或ることばを聞いても、すっとは分からないことが多くなってきた。そのたいていの場合は、ことばの元の意味を勝手に変えているからである。

例えば、「奨学金」がそれだ。これは、学力は優秀だが、家の事情で進学できない子に対して、その学力を惜しみ、大きく言えば、社会的損失になるから、という理由で、公的援助をして進学を可能にしようという趣旨のものである。

手っ取り早く言えば、貧乏だが学力優秀で人間的にもしっかりしている子を社会が後援し育てようということだ。凡くら、失礼、凡才には公的奨学金など出す必要はない。ところが、いつのまにか、学力優秀とか、しっかりしているとか、そういう条件がどこかに消し飛んでしまって、要は〈進学金〉という意味にとってしまっており、果ては〈全員〉という気分がちらついている。

「観閲式」というのも珍妙なことばである。いろいろな観閲式があり、それらが報道され、〈エライ人が観閲しているところ〉が写真に出ている。

しかし、欧米の考えはいざ知らず、東北アジアでは、観閲式ではなくて観兵式であった。その「観兵」とは、「兵を観《み》る（見る）」というのではなくて、「兵を観《しめ》す（示す）」という意味である。すなわち、軍勢の威力を誇示し見せつけることであった。〈北朝鮮王朝〉朝鮮民主主義人民共和国の軍事パレードは、そういった意味であろう。『春秋左氏伝《さしでん》』僖《き》公四年に、「兵を東夷《とうい》に観《しめ》す」とある。「東夷」を日本とすれば、ぴったりではないか。

軍事と言えば、「戦略」ということばがある。このことばを（旧）民主党（現在は廃党）はよく使っていた。国家戦略室とか戦略的互恵関係とかと。

これがまたよく分からないことばである。そもそも「戦略」とは、軍事的策略ということだ。策略なのであるから、当然、仮想敵国を前提として、その相手を利用しつつ、自国が有利になるようにひそかに練る計画のことである。相手をだますのは当然。だから、ひたすら自国にとっての利益、国益を考える〈自恵〉なのであって、相手国の利益をも考える〈互恵〉など、ありえない。

すなわち、自国の国益のためのことば「戦略」と、相手国の国益をも入れる「互恵」

とをくっつけた〈戦略的互恵関係〉など、神様でもなければ作れないことなのである。

その昔、わが国が大東亜戦争に敗れたとき、「敗戦」と言わず、「終戦」と称した。ごま化したわけである。こういうことばの詐術は、同戦争中にすでにあった。例えば、敗れての「撤退」を「転戦」と称してごま化したわけである。

こうしたごま化しは絶えず続いている。平成二十二年の例では「懇談」だ。

尖閣諸島海域への中国船の侵犯に絡んで、日中首脳会談が行われる予定であったのに、中国側の一方的キャンセルがあった翌日、急に日中両首相が〈懇談〉*注したという。報道では、時間は十分程度とのこと。十分間の〈懇談〉などありえようか。冗談ではない。そういう立ち話は〈雑談〉というのだ。政府は事実を示すべきである。空談であったと。

**『論語』衛霊公に曰く、辞は達するのみ（ことばはズバッとだ）、と。**

*注　平成二十二年十月、ベトナム・ハノイで予定された日中の会談（当時の菅直人首相と温家宝中国首相による）は、二十九日夜、予定時間の直前になって中国が日本政府の外交姿勢を強く批判して見送りを発表。中止になった。翌三十日に急遽、菅首相と中国の温家宝首相とで行った非公式会談は、同行した福山哲郎官房副長官が「懇談」と位置づけた。

# 第三章　〈不平不満老人〉社会

# 儒教文化圏の老人政策

百と言えば大きな区切り。百というその幾山河を人間の年齢で見てみると、『礼記《らいき》』曲礼上《きょくらい》は、こう述べる。

数え年で、「六十を耆《き》と曰《い》ひ、指使《しし》す」と。六十還暦は現役引退ではなくて「指使す」すなわち人々を指揮する。次いで「七十を老と曰ひ、伝ふ」とある。「伝ふ」とは、家長の地位を子に譲って（伝えて）従うこと。

なるほど。年金受給は六十歳からだが、いずれ七十歳からとなるであろう。そのとき、この古典の文が、案外、根拠となるかも。

さて、その引退後は、もう八十も九十も込《こ》みで「八十九十を耄《ぼう》と曰ふ」とある。この「耄」、おいぼれと訓《よ》む。その状態は、何と「惛《こん》（昏）忘《ぼう》」——これは「忘る」すなわち認知症、うーん。

そうなると百歳はどうか。百歳を「期」と言い、「頤《い》」の状態。この「頤」は「養ふ」を表し、衣服のことも食べものの味も分からない、もう何もかも分かっていない状態で、子が養う。

因《ちな》みに、耄すなわち七十以上となると、悼《とう》（幼児）と同じく、「罪ありといへども、刑を加へず」とある。すなわち仮に万引したとしても、罪に問われない。しかし現代では老人といえども万引は警察沙汰。


いつの時代でも老人問題は深刻。しかし東北アジアの古代においては、家族主義（厳密には一族主義）であったから、高齢になると、子、延《ひ》いては一族が養ってきた。

現代では、父母の扶養を社会に担《にな》わせようとしつつある。社会保障制度への凭掛《よりかかり》である。しかし、制度の精神を誤解している日本人が多い。

と言うのは、社会保障費は、本来、自分たちが積み立ててきた蓄積金額の範囲内で配分すべきものなのである。しかし、そういう自律・自立・自己責任の個人主義精神は、家族主義で来た日本人には乏しい。金額が不足なら、御本家《ごほんけ》が、お上《かみ》が補えばいいと思い、そう要求する、つまり政府にぶら下がるので、今や社会保障費は厖大《ぼうだい》な赤字となってそれが累積され、絶望的となっている。

それでは、家族主義であった東北アジア儒教文化圏では、老人を筆頭とする介護、そして老人の扶養をどのようにして対処していたのであろうか。ただ単に家族が負担せよと言っていたのであろうか。

違う。政策を打ち出していたのである。その一例が、同じく『礼記』王制にこう記されている。

その家に、もし八十歳の老人がいるときは、子供一人分の税金を免除。九十歳のときは、その家全員の免税。身体障害者・難病の病人がいるときは、家族の大人一人分の免税、と。

こうした免税をするので、家族主義の下、介護・養老等ができたのである。この別居を除き、同居家族への免税という知恵を政府は考えてはどうか。

**『礼記』王制に曰く、八十の者〔がいるとき〕は、一子《いっし》〔分《ぶん》の〕政《せい》(税)に従わず(免税にする)。九十の者〔がいるとき〕は、その家〔全員が〕政に従わず(免税にする)。廃《はい》疾《しつ》〔で一般〕人〔と同じ〕にあらざる、〔だれにも〕養はれざる者〔がいるとき〕は、〔家族の誰か〕一人〔分の〕政に従わず(免税にする)、と。**

## 老人エゴ――社会保障よりも道徳教育を

バスに乗っていたときのできごと。十数人ぐらいか、保育所の幼児たちが乗ってきた。引率の保育士から教えられたのであろう、座席には座らず、ずっと立っていた。もちろん、手はいろいろな物にすがっていたのであるが、バスが揺れると大きく体が動く。保育士たちが彼らに注意の声をかけていた。

そのとき、或る老女が大声で「あ痛《いた》！　ヒールで踏まれた」と叫んだ。どうやら保育士に足を踏まれたようである。

その保育士は何度もすみませんと言って謝っていた。しかし、保育士はゴム底の運動靴を履いており、仮に踏まれたとしても、革靴のヒールほどの痛さはあるまい。それに揺れたときの話であり、わざと踏んだわけではない。幼児たちはよく訓練されており、立ってよろよろしながらも行儀よく友だち同士で助け合っていた。

痛いと喚《わめ》いた老女は着席していた。その顔つきは、その心と同じく、大人げない、エゴむき出しであった。

世間ではよく言う、老人を大切にし、労《いたわ》れ、と。その言や良し——しかし、それはあくまでも一般論であって、世にはどうしようもないつまらない老人が多くいることも事実である。にもかかわらず、〈老人の特権〉は当然と思っているので、困る。同じ老人として八十四歳の私からは言いにくいことなのだが。

世に老人エゴが横行している。大した病気でもないのに病院通いして、社会保障における医療費を増やしている。受け取る年金額に対してこれでは生活ができないと不満。しかし年金はあくまで補助なのであって、自分の老後は、それまでの人生において自力でいろいろな形で準備しておくのが筋。年金に対する考えかたが基本的に誤まっている。

老人には働く場所がないと言うが、それはおかしい。たとい月に一万円でも二万円でもいい、働ける場所を求めるならば、必ずある。じっと座って年金だけで暮らすというのは、安易であり、健康的でない。

遊んでいる不平不満老人に必要なのは、社会保障よりも道徳教育ではあるまいか。義務教育において、教科としての「道徳」がすでに登場している。とすればそれを受講させてはどうか。

すなわち、閑居老人は小学校に無料で再入学するという案である。

これは楽しいではないか。教科は、道徳のみならず、なんでもほぼ分かる。ハイハイとほとんどすべてに手を挙げられる。学校が楽しくなる。昔はいやだった人でも。

そして空き時間には同級生の少年少女に勉強を教えることもできる。運動会、文化祭、遠足——楽しいではないか。

経験がある人は、クラブ活動における指導ができるし、また担任の手助けもできる。給食は無料とする。

老人をほんの少しの日当でそういうふうに生かせる再入学制を文科省は考えてはどうか。政治家も政策の一つとして選挙公約の中に入れてもいいのではないか。

そして、卒業（三年生でいい）すると、諸種の公的保険料を安くするとか。

老人を再教育しつつ、同時に教員の助手、学校の要員として遇することである。老人をほったらかしにしているから、いろいろと問題を複雑にしているのである。

**『礼記《らいき》』大学に曰く、小人　閑居して（ひまにしていると）不善をなす、と。**

# 甘える厚顔老人

講演の旅先で宿泊したときのこと。疲れたので按摩《あんま》をとった。そうそう、近ごろは「按摩」という語を禁句にしようとの話。それはおかしい。「按」は指圧、「摩」はマッサージで、古くからある立派な言葉なのである。

さて、私は治療が目的なので、上手な人をと頼んだところ、現れ出《い》でましたのは、当時六十歳ごろの私よりもなんと十歳は上のご老体。

えーっと思ったが、始まってすぐ分かった。上手。それはよかったのだが、何しろご老体、力を入れると、しんどいからか息が漏れる。ハーッと。いや、落ち着かない。申しわけない気分。しかも時々フォーッ。どこかで聞いたことがあるような奇声。思わずこちらもそのため息を受けて、ホッ。というわけで、治療の一時間中、ハーッ、フォーッ、ホッ。

これって、老老ビジネスのような、老老介護くさいような、老老相哀れむような、老老相楽しむような、なにかわけが分からなくなった。ただ、われわれ二人の老人はそれぞれ働いて頑張っているのである。これをお忘れめさるな。

老人と言えば、すぐ弱者と世間は見るが、それは正しくないぞ。われら労働者老人から言わせてもらえば、弱者の美名の下、甘えている老人には納得できない。

一生、私など働きづめで、本を買う以外、ほとんど徒遣《むだづか》いなどしなかった。遊びの海外旅行など一度もなかった。いや、遊びの国内旅行すらなかった。ひたすら働いた。

これに反して、元気なときはさんざ浪費しておいて、老人になって年金が頼りとわめくのはおかしい。年金で老後の生活をするというのが間違い。世界中探してもそんなことのできる国などどこにもないのだ。まじめに働き生活費を節約して準備をし、老いを迎えたならば、年金を基礎にして生活できるのが日本国のありがたいところ。

不良老人よ、甘えるな。私の家の前の公道は、煉瓦《れんが》タイルなので、継ぎ目から雑草が生える。だから、老生、必ず草引きをする。けれども、犬を連れて散歩する老人はいても、自主的に公道や公園の草引きをする老人を見たことがない。せめてそれぐらいの社会貢献をした上で、年金問題に口を出せ。

一方、政権も役人も老人の心理が分かっていない。後期高齢者医療制度が必要なら、老人の気持ちに沿うことだ。それは、こういうこと。その保険料が七十五歳で仮に年額八万円なら、毎年その一割を減らすことにするのだ。つまり、二年目は七万二千円、三年目は六万四千円……そして十年たって八十五歳になったら、以後の保険料はゼロにする、と。

どうせ赤字になるのなら、これぐらいの知恵が出せないのか。学校秀才、試験秀才は〈政治学〉を学んではいても、〈政治〉が分かっていない。

後期高齢者を長寿者と言い換えているが、有り体に言えば余命幾許《いくばく》者と言うことよ。それなら、十年たったらタダになるという最後の楽しみを与えよ。それが長寿者への敬意の真の実行なのだ。

もちろん、甘えてぶら下がる厚顔老人には厳しくすること。遠慮することはない。晩年、孔子は不作法者の原壌《げんじよう》という老人に向かって「幼いときから礼儀知らず。大人となってから、これという取りえもない」と罵《のの》しり、「老いて死せず（年をとって生きているだけ）」と言って、つえで原壌のすねをぴしゃりとたたいた。孔子は厳しいのである。

**『論語』憲問に曰く、老いて死せず、と。**

## 後期高齢者は〈古稀高齢者〉

歯科医院から定期検診案内のハガキが来た。添え書きにこうあった。「歯の清掃に来てください」と。なるほど、「清掃」なあ。

先日、大阪市道を歩いていると、視覚障害者用の黄色の誘導タイルに、こういう文言が貼ってあった。「これは目の不自由な方のものです。モノを置かないで！」と。

この文、おかしい。「……のもの」と言うと所有物の意味。天下の公道なんだから、それはないよ。

この文言を考えた当人も、この「もの」で話がややこしくなったと思ったのか、文中の片仮名の「モノ」については赤色の表示にしている。これは当人としては物体の意か。御苦労さん。

この文、こう書くべきだ。「これは目の不自由な方のためのものです。物を置かないでください」とでも。

しっかりせい、市の役人よ。文は人なりと言う。賃金あげろと騒ぐ前に、国語力をあげるほうが先ではないか。

国語力と言えば、今はやや下火になったが、「後期高齢者」ということばが気に入らないと日本中が騒ぎに騒いだ。あわてた政府は「長寿者」と言い換えて収拾を図ったが、この換言、国語力不足を否めない。と言うのは、「長寿者」では意味がはっきりしないからである。

現代日本では、六十代は長寿者とはしない。生きていて当たり前だからである。七十代もはっきりしない。長生きのようであり、そうでもないようでもある。

平成二十年、日本人の平均寿命は*注、ほぼ男性で八十歳。女性は八十六歳とのことであるから、今日では、八十歳以上あたりから長寿者という感じではなかろうか。

「後期高齢者」は、法的には七五歳以上であるから、「長寿者」と言うと、なんだかわれわれの感覚に合わない。

それに、国語的におかしいぞ。「長寿者」とは、年齢の線引きのことばではなくて、敬意の表現なのであるから、長寿医療制度と言うのなら、長寿者には医療費を無料に、或るいは格安にします、ということでないと、平仄《ひょうそく》が合わない。

と言うふうに、「長寿者」ということばの選択に、どうも国語力の低下を感じる。

法案の作成に関わる霞が関の学校秀才たちは、受験生のころ、国数英主要三科目とは言うものの、だいたいにおいて英数二科目秀才である。

英数特進コースなんてところでお勉強するものだから、英語学習が極まって、グローバル化だのとふらついたり、数学学習の果てに、医療保険の難問を解くには、条件Xは、七十五以上としたり顔。

私は「毎日《まいにち》　江頭《こうとう》（「紅燈」）ではない。行楽地の曲江《きょくこう》という池のほとり）に酔《すい》を尽《つく》して帰《かえ》る」ほどではない不良老人だが、「人生《じんせい》　七十《ななじゅう》、古来《こらい》　稀《まれ》なり」（杜甫「曲江」）と言うではないか。「古稀《こき》」七十歳だ。もし国語力があれば、「後期高齢者」などという冷たい数学的表現ではなくて、せめて「古稀高齢者」とでも言え。国政家たる者、そういう「雅言《がげん》」を心得よ。

**『論語』里仁《りじん》に曰く、人《ひと》の過《あやま》つや、各々《おのおの》其《そ》の党《とう》に於《お》いてす、と。**この「党」とは人格的段階といった意味であるが、いやいやそのまま近頃の政党の意に充《あ》ててもよいか。

＊注　平成三十年の平均寿命（簡易生命表による）は男性は八一・二五年、女性は八七・三二年。

# 老人の悪口を言う前に

近ごろ世は老人いじめである。老人の年金額が多すぎる、医療保険費がかさみすぎる。優待乗車証を持っている……と老人批判が続く。老人は恵まれすぎているのがいけないという論法だ。

それはおかしい。老人とて年金の掛け金を若いときからそれなりに払ってきた。老人になれば病気が増え医者の世話になるのは当たり前。好《す》き好《この》んで医院に行くわけではない。優待乗車証がなければ家に籠もるばかりで、かえって病気になり、医療費は増えよう。優待乗車証があれば街に出て元気になるし、うどんの一杯も食べるだろうから、ささやかながらも内需に寄与するではないか。

老人への悪口を言う前に、それでは老人にどう金銭を使わせ、どう老人を活《い》かすかを論ずるべきであろう。

例えば、私ならこう提案する。本書八十七ページにも記したが六十五歳以上の老人は小学校に再入学させる、と。ピカピカの一年生ではなく、シワシワの一年生。すでに義務教育は了《お》えているから、給食費は無料にするが、集団となると授業料は取ることにしよう。仮に授業料が月額五千円、五十人いれば、月給二十五万円の若い教員一人分の雇用が生まれるではないか。

老人生徒は、ボランティアで植木の手入れ、一般生徒の登下校時の指導、担任の雑用の引き受け、教育関係データの収集……をしよう。学校の運営費の節約大となる。

一年生の授業は楽しいだろうなあ。授業内容は全部分かる。先生の質問に対して、ハイハイ、ハイハイと全員が挙手して、しかもマンテーン。先生が若い女性だったら、男子老人生徒はみんながんばって皆勤賞。老人医療費は大きく下がる。往年の野球少年たちは喜々として投げて打って走ってイチローを目指す。先生がイケメンだったら、女子老人生徒はＡＫＢ48そこのけで活気に溢れて大騒ぎ。あとは三流ホテルで豪快に食事。元気百倍、内需拡大。というような老人政策の一つも出してみよ。

しかし、自民党からは、極立《きわだ》ったものがなにも見えない。頭の硬化した人が多く、そういう人々では、あつまっては愚痴をこぼすだけであって、アイデアや新政策などとても出てきはしない。

とすれば、方法は一つ。すなわち、全国民を対象に新政策立案コンテストを開催することだ。独創的で鮮烈な、希望に溢れていてしかも現実性のある提案を募集せよ。賞金は借金してでも景気よく張り込め。最優秀賞は一億円、優秀賞三点は各三千万円、佳作十点は各一千万円というふうに。これで国民の心をつかめるのならば安いものだ。

全国民へのコンテスト呼びかけとは、教えを乞《こ》うということだ。目上の人でも目下の者に「下問を恥じず」（『論語』公冶長《こうやちょう》）だ。ここは謙虚に国民に教えを乞い、学ぶことである。

**『論語』子張《しちょう》に曰く、君子は、学びて以《もっ》て其《そ》の道を致《いた》す、と。**

## 一億総ぶら下がり

一億総活躍――このことば、残念ながら流行語となる勢いがなかった。かつて池田勇人《はやと》首相が掲げた看板「所得倍増」のような迫力がない。

なぜか。答えは明らかだ。日本人は政府に〈一億総ぶら下がり〉感覚だからだ。「倍増」は政府がそうしてくれると錯覚を起こさせたが、「活躍」となると自力であるから、なんとなく引く。〈活躍〉と〈ぶら下がり〉とでは、感覚的に正反対なので、〈活躍〉は人々に受けない。

しかし、これからは〈総ぶら下がり日本人〉を本当に〈総活躍日本人〉にしなければ、日本の明日はない。

では、どうすべきか。答えは決まっている。未来が明るくなると感じる〈希望のある政策〉を具体的に示すことだ。

しかし、今のところ、そういうパンチ力ある具体的な新政策は示されていないではないか。例えば、〈介護離職ゼロ〉政策と言っても、その有効な具体策は見えない。おそらく最終案は、介護福祉士の給与を上げるといったあたりに終わることであろう。

けれども、その案はだめ。なぜか。こういうわけである。

介護福祉士の給与を上げ待遇を良くする。それ自体はいい。しかし、そうなると看護師が黙っていない。というわけで看護師の給与を上げる。となると医師が文句を言う。結局、医師の給与もアップとなる。

なんのことはない。介護福祉士の給与増は、医療従事者全職域にわたっての給与増となる。この膨張する金額をだれが負担し、どういう国家予算となるのか、そこまで読んでいるのだろうか。

こういう安易で凡庸な対策はだめ。老生ならこうする。

介護福祉士の給与はそのままにしておく代わり、週に二日の有給休暇を与える。土・日は休みだから、週に三日の勤務となる。

もちろん、週に計四日の休暇日の過しかたは自由で制約なし。四日間は休養に、勉強に、家族のために使える。いや、必要ならアルバイトして稼いでもいいと公認する。

こういう待遇にすれば、介護福祉士の離職をゼロにできる。現代では〈時間〉を与えることが最高の好待遇だからである。

と述べてくると、必ず次のような質問が出てくる。介護福祉士の有給休暇分や代替者費用はどうなるのか、と。

その正解は、老生、三十年も前からすでに出している。中学生以上の者は社会福祉に関するボランティア活動をする。そして一時間につき一ポイントを得、それを貯《た》めておき、老後に必要があるとき、それを自分の介護用に使う。不自由な人のその世話をする人は、その分のポイントを頼んできた人の持っているポイントから得る。つまり、ポイントが動くだけで費用は不要。厚労省はポイント管理をする。これこそ〈一億総活躍〉ではないのか。

介護の提案のみならず、国債赤字の解消、潮流などを利用した海力発電開発による経済成長、少子化解決可能の新公共事業などについて、これまで、老生は具体的方法を示しての画期的提案をすでにしている。

政権関係者は、国を憂えるこの老人の声を虚心に直接お聞きになってはいかがか。これまで老生はポイント制・第二通貨等々、画期的な新政策を提案してきたが、老生にそれらの意見を聞きたいと問うてくる政治家は、これまで皆無、皆無。老生をただの漢文屋と思っているだけだからであろう。

**『三国志』魏書・王昶《おうちょう》伝に曰く、その人を得ば、重きこと山の如《ごと》し。その人を得ざれば、忽《かろ》き（軽き）こと、草の如《ごと》し、と。**

＊注　日本の歴史書では、『三国志』魏志倭人伝と表記するが、厳密に言えば、『三国志』魏書東夷伝倭《わの》

項《こう》である。

## 家族主義を教えない悲劇

平成二十八（二〇一六）年二月六日、突然に東京在住の家兄《かけい》の葬儀があり、上京した。翌日、老生の八十歳傘寿《さんじゅ》そして学術専門著作集全三巻刊行完結への祝宴を、老生の直弟子たちが大阪で開いてくれた。

連続するその二日間、肉親の〈死の悲しみ〉、そして己が軌跡の〈生の歓《よろこ》び〉をこもごも実感した。

そして十二日、山中伸弥・京大教授と老生との対談がＢＳフジにおいて放映された（収録は二十八年一月十八日）。

そのテーマとは、細胞の本質と儒教の根源とが、〈生命の連続〉を求めるという点で一致する不思議さについてが中心であった。併せて教育論も。

山中教授を先頭としてのさまざまな最先端細胞研究は、一つの細胞からどのようにして多くの細胞が生まれ、しかも目的を持っていろいろな臓器等に分かれて展開してゆくのか、その追究と解明とである。

それが完成すれば、或る人の血液の細胞から、同じその人の臓器を作りだし、それを移植して病気を治せる可能性がある。

細胞には、遺伝子を中心として、分化し展開してゆく設計図がすでに存在している。それは、生き続けるという生命の本質であり、細胞から成り立つ身体が老いてゆくと、次の新しい身体に乗りかえ乗りかえして連続して生きてゆく。その本質は〈生命の連続〉である。すなわち、細胞研究とは〈生命の連続〉の研究なのである。

一方、儒教について言えば、「〔己れの〕身《み》は父母の遺体なり」（『礼記《らいき》』祭義）という観念がある。「身」とは、「自分の身体」という意味。「遺体」とは、古くからある儒教のことばで、「遺《のこ》した体《からだ》」という意味。現代では、「遺体」は死体の丁寧な表現であるが、それは本来の意味すなわち「自分の身体は父母が遺した身体」という意味とずれて使われている。

その元来の〈遺体〉観に基づき、儒教は、祖先から自己までの〈生命の連続〉を強烈に意識し、それを思想化してゆき、祖先崇拝という宗教化ともなっていったのである。これが儒教の本質なのである。そして地域的には、東北アジア（中国・朝鮮・日本・ベトナム北部等）に広がっていった。

もっとも、儒教のこの〈生命の連続〉思想を知らない人が多い。例えば、未婚である、あるいは子供がいないと悩む夫婦がいる。ならば、儒教はこう教える。すなわち家族主義・一族主義であるから「あなたの甥《おい》や姪《めい》を愛しなさい」と。なぜそう言うのかと言えば、父・母の世代に属する伯父叔父伯母叔母はそれぞれ父族であり母族なのである。そしてそれぞれの子（甥や姪。彼らのいとこをひっくるめて）は子族なのである。これが家族（一族）主義。だから、未婚でも、子のない夫婦も、子族がいるのであり、その子（甥や姪）を愛しなさいというのが儒教家族主義なのである。

唐代の文人、韓愈《かんゆ》が甥の死を悼《いた》んで草した「十二郎を祭る文」と題した弔辞は、涙なくしては読めない真情のこもった名文である。それは、父（父族）の子（子族）に対する真情なのである。

欧米流の個人主義とは別に、東北アジアには儒教的家族主義があることを学校や社会が教えないことによる悲劇が、今そこここに起こっている。

老生は儒教研究者であるが、細胞を対象とする最先端生物学の生命論が、奇しくも〈生命の連続〉という点で儒教と重なることから、その点を中心に山中教授と対談できたことはありがたかった。その内容はインターネット（ユーチューブ）で自由に見ることができるので、御覧いただきたい。

平成二十八年二月初めの十日間、〈死・生・生命の連続〉の実感の中で強く思った、**「死生　命《めい》あり」**（『論語』顔淵）**と。**

# 第四章　権威とは

# 広辞苑に権威などない

近ごろはコンビニもサービスが向上。その店で買った品物なら、それを飲食できるコーナーを作っているところがある。これ便利。待ち時間つぶしにちょうどいい。

先日、そのコーナーで壁に貼《は》ってある注意書きをふっと見た。

「タバコは御遠慮ください」の文がこうなっている。「タバコは御縁了ください」と。

うーん、まちがいと言えば、まちがいなのだが、考えようによっては、意味深長。例えば、「タバコを喫《す》う人は、このコーナーとの縁を完了してください。はい、さようなら」とも、「タバコは身体に悪いよ。早くタバコとの縁を終了してください」とも。

ことばは生きものであるから、使いようである。

ところが逆に、世の中には頭の固《かた》いのがいる。すこし古いが、平成二十年の二月二十九日の新聞記事にこうある。予算委員会の審議中、政府側も野党側もともに、『広辞苑』（岩波書店）を引いて議論した、と。

その内容は、要するに『広辞苑』における単語の説明文を〈完璧《かんぺき》に正しい定義〉として、相手の言い分にケチをつけているだけのこと。

そういう議論があったということを知り、驚いた。

と言うのは、辞書における単語の説明文などというものは、ただ便宜的に一応のことを書いたものにすぎず、なんの権威もないからである。ふつう、辞書は編集下請けが複数いて、そのほとんどが、単語一つにつき、何円というアルバイトで書いたものである。そのため、そのアルバイト時、すでに刊行されている他の諸辞典類からの盗作だらけとなることが多い。そんなものなんかを自説の依る根拠として引用したりしたら、あぶないあぶない。

学術的世界では「辞書にこうだから」というような援用は絶対にない。もしそういう引用をしている者がいたとすれば、その人は正規の学問的訓練を受けたことのないド素人であることを自ら示したこととなる。もっとも政治家は学者でないからと言えばそれまでだが、程度の低い議論と言わざるをえない。

と思っていたところ、平成二十年十月二十八日、たまたまテレビ中継を見た。参議院の外交防衛委員会での審議である。

（旧）民主党の牧山ひろえ議員が質問していたのであるが、なにを言っているのかわけがわからない。

同じことを麻生首相（当時）も感じたのであろう。答弁のはじめに、「御質問の趣旨がよく分かりませんが……」と振《ふ》った。

しかし、さすがは政治家、質問の意味が分からずとも長々と答弁をしていた。

それを受けて牧山議員がなにか再質問でもするかと思ったが、それはなし。

どうなってるの。この質疑応答。

私が言いたいのは、ことばの遊戯をするのではなくて、ことばに託されている真実や意図をしっかりと見抜く力を日本人は持ってほしいということである。

例えば、平成二十年十一月十一日、ＮＨＫは自分たちの世論調査の結果を伝えていた。それに依《よ》ると、話題の定額給付金*注という政策について「評価する」が四〇％、「評価しない」が五七％とのこと。

このデータ、私ならこう読む。評価しないと言うのなら、その五七％の人は給付金を辞退するはずである。いや、辞退すべきである。

しかし、そういうことにはなるまい。ほとんど全員が給付金を受け取る。と言うことは、NHKのその調査は、単なることばの遊戯に終わるだろうということだ。そんな調査は〈御縁了ください〉。

**『論語』述而に曰く、難《かた》いかな、〔言動に〕恒《つね》あること、と。**

＊注　定額給付金は、平成二十年十月に麻生太郎内閣が発表し、平成二十一年三月から給付開始された。一人につき一万二千円（六十五歳以上、十八歳以下は二万円）を支給。

## 無知な有識者

ときどき昔話を思い出す。そして私のように老人になると、話の最後が気になる。例えば、浦島太郎。最後は白髪《しらが》のおじいさん。では、老いの身で、それから先はどうなったのだろう。心配心配。というわけで、先日、旧友と安酒を飲みながら、浦島太郎その後のストーリーを展開しあった。

浦島太郎が白髪老人となったあの後、老人ホームに入ったというのでは平凡。そこで、ぱーっと派手に展開した。

浦島太郎老人は、花咲じいさんとなって大金持ちになりました。その大金は、リーマン・ブラザーズなんて証券会社は危ないので、そこには預けず、その大金を使って極楽を作りました。すると地上の人は、それは格差社会で仏の教えに反すると非難するので、黄金《こがね》作りの極楽をつぶして、そのお金でディズニーランドを作り、あれこれ万人向けの設備を充実しましたが、日本人は貧乏性なので、入場料の安い動物園に作り替えました。その動物も、象を偽装して亀を入れましたところ、悪《わる》ガキが亀をいじめるのです。それはいけませんと浦島太郎青年が教え諭《さと》して……となって話が循環する。これ、話の循環は高血圧の症状。

テレビのバラエティー番組の内、政治・外交・経済など硬派ものに出演する有識者諸先生の御高説は、だいたいこの高血圧症状。ぐるぐる堂々めぐりしている。

例えば、社会保険の赤字は税金で補う。その税金は増税でカバーする。すると税金が高くなるので社会保険料のほうは滞納が増える。すると赤字となるので……。

こう循環するのは、結局は不勉強ということなのであろう。それはそうだ。重大な問題の解答を作ろうとなると、腰を入れた勉強をしなくてはできるはずがない。

ところが、有識者諸先生は毎日のようにテレビに御出演。あれでは本を読む時間、根拠となる資料調査の時間がなかろう。それでも出演となると、他人の言説を密輸入するしかなかろう。

もちろん、それを〈書く〉と盗作となるが、〈話す〉となると、盗作になることはまずない。いくらでも言い逃れができるからである。出拠を言う時間がなかったとかなんとかと。なによりごまかせるのは、電波が消えていく点だ。追いかけようがない。

というわけで、ますます知識の密輸入が増えている。その密輸入も、ひどいのになると、中身が分からず表面だけなぞっているのがある。

占いを使って道徳的に人生相談をする細木数子女史は、中国の学問の中心分野は「けいがく」だと言って、「敬学」と書いた。

不肖、老生は中国思想研究の専門家。「敬学」ということば自身は確かにあるが、「敬学」という学問分野なんて聞いたことがない。これ、正しくは「経学《けいがく》」。

儒教の重要古典を「経《けい》」とし、その古典研究をする学問を「経学」というのである。その女性はおそらく「けいがく」と聞いて「敬学」と思いこみ、それをそのまま広言したのだろう。テレビ局は無知だから、訂正もできない。

**『論語』陽貨に曰く、道《みち》（路上）に聴《き》きて塗《みち》（路上）に説《と》くは、徳を之《こ》れ棄《す》つるなり、と。**道聴塗説《どうちょうとせつ》——受け売りは無責任。自分で不道徳となってしまっているの意。

## 「学習到達度調査」は無意味

「ピザ」と言えば、まずはイタリア風のお好み焼きみたいなものが頭に浮かぶことだろう。

それが新聞の大きな見出しで「ピザ熱　東高西低」ときた。それがなんと食べ物のピザではなくて、「学習到達度調査」とやらの略称がピザとのこと。ふーん。

平成二十一（二〇〇九）年、六十五もの国家・地域で約四十七万人の十五歳男女（日本では高校一年生）が参加したとの話。アジア諸国が熱心なので、それが「東高西低」

ということらしい。その結果の発表が新聞各紙に報道された（平成二十二年十二月八日付）というわけだ。

それに依れば、日本は（１）読解力が八位、（２）数学的リテラシーが九位、（３）科学的リテラシーが五位。このことについていろいろと論評がなされていた。読解力は前回よりも改善だの、日本が教育大国だったのは今は昔の物語だの、ゆとり教育の弊害だの……と、あれこれ日本の子供の学力が落ちているとして、ランキングの数字だけを見て述べている。

それと言うのも、（１）・（２）・（３）すべて中国が一位だったこと、また韓国や香港が日本以上に善戦したことがショックだったらしく、日本を「アジアの落ちこぼれ」とまで酷評。

それ、本気でそう思っているのか。

中国の場合、上海となっている。全土から選んだのではなくて、中国における最発展、最近代化の特別地域。ここからして作為的である。また、上海と言っても、恐らく全市から選んだのではなくて、特定していると推測する。学力の高い学校や生徒を選び出して。つまり客観性なし。平気で嘘をつくあの国家だから、それぐらい朝飯前。

いや、あえて言えば（中国の）採点者が誤答を正解に書き換えることぐらいするだろう。何しろ行政において下部から上部への報告が水増し良好数字になっているのが普通の国家なのであるから。

そういう風に（1）・（2）・（3）オール中国一位の意味を読み取る分析力なくして中国の教育を論じることはできない。ましてその中国の成績を日本のそれと比較しての論評は、ほとんど無意味なのである。

もっと良い例を挙げよう。最近の日本人学生は海外留学しない。中国や韓国の学生はどんどん行くのに。といった嘆き節をよく聞く。これまた浅薄な論評。

と言うのは、こうだ。中国人留学生の第一希望は、アメリカや日本など留学先で就職することなのである。就職できなかった二流どころは、帰国するものの、役人になることが多い。そうなって技術の現場を離れて数年もすれば、日進月歩の最新技術のことは分からなくなるので、あとは官僚として収賄に専念してゆく。三流どころは、帰国後、小企業を作って社長となり、あとはもうなんでもいい、金もうけまっしぐら。

つまり〈優秀な〉中国人留学生が海外に多数留学したとしても、国家的戦力にはならないのである。韓国の場合もそれに似たところがある。

それに、日本人は留学して学んだことを仲間や後輩に惜しみなく伝え教えるが、中国人は絶対にそうしない。教えた人々がすべてライバルとなるからだ。

学問はそれだけでは成り立たず、それを発展させる徳性・国民性が必要なのである。仮にその人が自分を学問不足と言っても、国家や友人に誠意を尽くす人ならば、真に学問を修めたりっぱな人物なのである。

**『論語』学而に曰く、吾《われ》は必ず之《これ》を学びたりと謂《い》はん、と。**

## 偏差値至上主義でいいのか

大阪の高校界に大きなできごとがあった——と書き出せば、平成二十五（二〇一三）年の時なら、人は桜宮高校の教員の体罰による生徒の自殺事件を思うことであろう。いや、それと違う。規模は小さいのだが、しかし、これからの高校教育を変える可能性があるので、あえて大きなできごとと言いたい。

それはこうである。縁あって、私は大阪の或る私立高校の助言者となった。同校は女子高であり、少子化の中で低迷していた。もちろん生徒定員を割っていた。

結局、男女共学にし、巨額の借金をして新校舎を建て、面目を一新する方向となった。それはそれで再生の手順としては良かった。しかし問題は教育方針。これまでと同じでは、いずれまた低迷してゆく。

そこで私は、従来の方針すなわち偏差値至上主義の教育を排して人間を育てる教育へ、偏差値教育から人間教育へ、と主張した。主張し続けた。だれが何と言おうと。

もちろん教員の抵抗があった。△△大学に何人、◯◯大学に何人が合格したなどという偏差値教育を謳《うた》っているほうが楽だからである。第一、ほとんどの私学がその方式なので、それと違うことをする方針への不安と自信のなさとが抵抗となっていた。

しかし、人間教育という方針に共感し共鳴する、まともな教員が現れ、しだいに増えていった。根本的改革には、制度や建物の新設だけではなく、教員の意識改革が必要なのである。

この紙幅上、人間教育の具体的中身は述べられないが、一例を挙げると、剣道あるいは薙刀《なぎなた》のどちらかを必修とし、気合を教える。人生、気合ではないか。精神の集中という気合十分ならば、大学入試ごとき目じゃない。そして、入学後、卒業後、長い人生において、しっかりとまじめに生き抜いてゆくことができるのだ。

にもかかわらず、世の大半の教員はヘンサチヘンサチと喚《わめ》いて生徒を苦しめている。その偏差値至上主義は、桜宮高校の体育教員の全国大会出場至上主義と通底する。生徒を追いつめ自殺させたのは、体罰の裏にある〈体育偏差値〉信仰である。

それではだめなのだ。生徒が学校に来るのが楽しくてしかたがないという雰囲気や解放感があることが、最も大切なのである。

先述した高校の学校説明会では、偏差値を一切言わず、もっぱら人間教育とその内容との説明をした。ふつうの学校説明会とはまったくことなっていた。

ところが、三回の説明会参加者（保護者を含む）は鰻登《うなぎのぼ》り、募集人員三百二十人に対して、志願者千五百二十四人（うち専願が六百十人）に達し、入試当日は人で溢《あふ》れたのであった。これには、当事者自身が驚いた。

これは、大阪における一私立高校の入試改革という小さなできごとである。しかし、その意味するところは、全国の高校教育界への衝撃となる大きなできごとである。

すなわち、世の心ある生徒や保護者は求めていたのである。偏差値教育ではなくて、志を養う人間教育を。しかし、それに応える高校がほとんどなかったのだ。

そこに登場したのである。人間教育をするという高校が。だから多く集まったのである。彼らの志はきっと花開くであろう。

**『論語』子張に曰く、博《ひろ》く学びて、篤《あつ》く志《こころざ》す、と。**

〈追記〉残念ながら、老生の関わったその高校は、老生の別離とともに方針を元へもどし、今は平凡な学校へと変化してしまっている。せっかくの光が消えてしまった。

## 英語で式辞の東大総長の愚

投げ込みの広告チラシがあった。美容院の宣伝である。大きな字で「カット専門」とある。なるほど。しかし、その「カット」のところをわざわざ英文アルファベットで印刷している。すなわち「ｃｕｔ」のつもりで。ところがなんと、「ｃａｔ」となっている。ｃａｔだとキャット、ネコちゃんですよ。その美容院はネコ専門なのでしょうね。

もっとも、ｃｕｔであろうと、ｃａｔであろうと、現実ではそんなこと問題にもしないであろう。一般人にとっての英語とは、その程度のものである。

にもかかわらず、偉い人たちは英語の端くれ単語を混ぜて話すことがよくある。イノベーションがどうの、ガラパゴスがこうの、と。

けれども、ここは日本ではないのか。日本であるならば、まずはきちんとした日本語を使うのが筋であろう。さらには、日本人であるならば、正しい国語を使うべきである。

まず第一に言いたいのは、日本語と国語は違うということである。

日本語と言うとき、それは、日本人が使っていることばをまねて、ともかくなんとか意志を通じさせる形のもの。例えば、店で「わたし、これ買う。おつり、いるよ…

…」と言えば、なんとか通じる。つまり、日本語とは、外国人向きの技術的なものである。当然、日本人だと日本語ペラペラ。

けれども国語は違う。日本人でも国語のできない人はたくさんいる。国語とは、「〈国〉家の歴史・文化・伝統を背景として展開してきた言〈語〉」であり、第一字の「国」と最後の「語」とを抜き出し、略して「国語」と言う。だから、日本の歴史・文化・伝統の素養のない外国人に国語学習は無理なのである。例えば「もののあはれ」という国語を理解し感受できる外国人は絶無に近いことであろう。

当然、その逆もある。われわれ日本人が英語を学んでも、せいぜい「ｃａｔ専門」を「ｃｕｔ専門」に直す程度であり、〈英国語〉の理解や感受は、まず無理なのである。ところが、平成二十三（二〇一一）年九月、テレビニュースがこう報道していた。東大の大学院が外国の制度に合わせて「秋入学」を行うようになったと。そして東大総長が式辞（告辞）を英語で行ったシーンが流れた。

驚いた。ここは日本ではないか。日本に留学したい外国人は、当然にまずは日本語を学ぶべきである。

その昔、私が学生時代、用件で故宮崎市定《いちさだ》教授（東洋史）の研究室を訪れたところ、先客があり、少し離れたところで座って待つこととなった。先客は若いフランス人で、たどたどしい日本語ながら懸命に質問していた。それも中国史の専門的内容である。その時のフランス人の態度は、大宮崎の学問に対する敬意にあふれていた。

それが日本に留学する学生のあるべき姿、道理である。

にもかかわらず、外国人留学生に分かりやすいようになどという損得の観念で英語による式辞を行うのは、筋が違う。しかも、独、仏、中など多種多様の言語の中から、なぜ英語なのか。その理由はなになのか。独、仏、中……からの留学生にしてみれば、不愉快となるだろう。

東大が日本を代表する大学という自負があるのならば、英語でなくて、堂々と国語で、それも伝統的な漢文脈で荘重に述べてみよ。できるかな。

**『論語』里仁に曰く、君子（教養人）は義（道理）に喩《さと》り、小人（知識人）は利（損得）に喩る、と。**

# 朝日・毎日文化人の尊大・横柄

軽いのである、人間として。もちろん、(旧)民主党の閣僚のこと。

平成二十三(二〇一一)年、野田佳彦内閣が発足して八日目早々の、鉢呂《はちろ》吉雄経産相(当時)の東日本大震災地域に対する失言「死の町」。

被災地に対しての発言、死の町、そうなのだ。だからこそ〈それにどのように対処してゆくか〉その具体的方針を示すのが大臣の役割なのである。それを「死の町」と評するだけでは、〈槐門《かいもん》たりえず〉。

「槐門」とは、器量として人間として、閣僚たりうる出自ということ。政権を得る前までのころ、ただ無責任な反対野次《やじ》をとばしてきただけの旧社会党員では、いざ行政上の出番となっても、とても大臣は務まらないということ。

古人曰く、君子　重からざれば、則《すなわ》ち威あらず、と(『論語』学而《がくじ》)。

鉢呂経産大臣の発言「死の町」「放射能をうつすぞ」は、東日本大震災三県被災者への傲慢《ごうまん》な不謹慎な態度の現れであるが、同種のものは、これまでにいくつもあった。

例えば、斎藤環《たまき》・精神科医は「放射能とケガレ」と題する文章（毎日新聞平成二十三年八月二十八日付「時代の風」欄）において、覚悟と根気もない者は、被災地の人々の心に関わるべきでないとして、こう明言している。後腐れのない善意を発揮したい人たち向けには、「義援金」という方法がある（原文のママ）と。なんという尊大にして横柄なものの言いようか。これが精神科医のことばとは聞いて呆《あき》れる。

ふっと思った。この男、ひょっとしたら「後腐れのない」ということばの意味（縁切れ）が分からずに使っているのではなかろうか、と。

大震災の報道後、期せずして日本全国の人々から、まごころをこめた素直な善意が膨大な義援金となったのである。その心は今もなお生きている。その〈素直な善意の義援金〉を足蹴《あしげ》にして、「後腐れのない善意の義援金」とするとき、義援金を続ける方々は、どう思うであろうか。心ないことばである。

こういうのもあった。「啄木鳥」すなわちキツツキという筆名で、なんとこう書いている。「佳境に入るがれきの最終処理」と（朝日新聞平成二十三年八月二十五日付「経済気象台」欄）。

「佳境に入る」ということばは、物語や演劇などフィクションや事《こと》の説明や講演などの展開がしだいに面白くなり、盛りあがってゆくさまを言うのであり、用法は限定的である。

被災地のあの荒涼たる瓦礫《がれき》を一日でも早く撤去をと真剣に立ち向かっている現場の状況に対して「佳境に入る」とは、なにごとか。それをそう言うのは、被災地の瓦礫撤去作業を、ショーとして面白半分にしか見ていないからではないか。

おそらく「佳境に入る」ということばの意味も用法も知らずに使ったのであろう。その筆者「啄木鳥」がどういう人なのか、筆名だから分からない。しかし、同欄の最後にこう記されている。「この欄は、第一線で活躍している経済人、学者など社外筆者の執筆によるものです」と。

すると、ますます問題だ。「第一線で活躍している」人物の程度が低かったと詫《わ》びをいれても言いわけにならない。新聞社には厳しい校閲がある。その校閲がこの文を通したということか。毎日も朝日も、ともに被災者に対して人間としての謙虚さやまごころが欠けているのである。

**『論語』学而に曰く、〔人間は〕謹《つつし》みて信〔であれ〕、と。**

# 第五章 建前の浅はかさ

# 投稿欄利用の新聞

老生、古書店だけは縁が切れない。前を通ると、買いもせぬくせに、つい立ち寄る。先日、某古書店の前を通ったときのこと。道路に面したショーウインドーを覗《のぞ》いてみた。全集物がそれこそ山と積まれていて、なかなかおもしろい。その中に『桑原武夫集』全十巻（岩波版）があった。値札はなんと「二千五百円」。

しばし「二千五百円」という朱筆にくぎ付けとなった。一冊が二百五十円ではないか。その値段なら、その昔、書店の前に置いた縁台の上によく並べられていた程度の本ということだ。

桑原武夫と言えば、かつては颯爽《さっそう》と京大人文科学研究所を率い、一世を風靡《ふうび》した進歩的文化人、それもスターであった。日本中の学生にとって〈神〉のような存在でもあり、戦後日本における進歩的文化人の中心の一人であった。

それが今やそのすべてが二千五百円なのである。しかも売れずにショーウインドーの中に有る。

栄枯盛衰とはよく言ったものである。今や左翼論壇は崩壊し、寂《せき》としている。多少論じているのがいるが、小者《こもの》である。人を唸《うな》らせるような大説《たいせつ》を論ずる者はおらず、小さい説、いわば小説《こせつ》をこせこせつぶやく程度である。もちろん、だれも読まない。

どうしてこんなことになってしまったのであろう。わずか三十、四十年の間に。

と思っていたところ、なんとも奇妙な文に出合った（平成二十六年）。進歩的文化人の愛読者が多いであろう某紙の読者投稿欄に載った次のような趣旨の文章である。

「日本には自衛隊、米軍の基地が存在し……武力で威嚇侵攻しようとする相手の意図、意思を未然に防ぐ抑止力となり、日本の平和、安全、独立が保てる。……『戦争反対・平和を』の声をあげれば戦争は起こらず平和になると考える人々は現実の……情報認識が欠如していて、世界では通用しない……」と。

一見、産経新聞の投書欄かという感じ。これは、いろいろな声を取り上げ、表現の自由を守る公正なメディアですよ、というその新聞の姿勢のように見える。しかし、そうではない。

引用箇所以外のところに、「と私は思います」が二回、「と思うのです」「と私は確信します」が各一回、わずか全文四百字の短文の中にそれらがある。そこに不自然さを感じた。おそらくは、新聞社側の加筆であろう。この新聞は、以前から全く逆の論陣を張っていたではないか。

すなわち、全文章は投稿者の個人的意見ですよ、と逃げを打ち、と同時に、基地問題に対してウチの新聞は公正ですよというポーズをとっていると、私は読み取った。もしも、私の直感通りであるのならば、手口が〈せこい〉のである。もっと堂々と左翼に徹すればいいではないか。

読者の投稿を利用するこのような小細工をするのではなく、それこそ、例えば桑原武夫の位置づけの特集を組むとかをすべきであろう。なぜ今その全集十冊が二千五百円なのか、とかと。

**『書経』堯《ぎよう》典に曰く、貌《かたち》は恭敬《きよう》（うやうやしく、つつしむ）を象《かた》どり（よそおい）、心は傲狠《ごうこん》（いばっていて、ねじれている）、と。**

# 医学を冷笑する医師

老人になると気弱になる。老生も書店に立ち寄るとなんだか健康本のコーナーに足が向く。天下国家論のコーナーよりも。

健康本を見ていると、怪しげなのも並んでいる。それも著者に医師が多い。医師という看板で信頼しろということだろう。

或る本を立ち読みしたが、現代医学では、ガンはもちろん、風邪も治せぬという話が延々と書かれ、いや、それどころか、医師の出す薬を飲むと寿命を縮めると来た。

また或る本は、ガンに対しては外科手術をしても、内科的に抗ガン剤を与えても、ワクチン（免疫）療法を試みても、効かない、治らないと論じてきて、最後に放射線治療は有効と述べている。しかし、その著者は慶應大学放射線科の講師とのこと。これでは我田引水もいいとこではないか。さらには、病気を治すどころか、医師は薬品会社と結託して金もうけをしている——と医師を罵倒している文章を読んでいて、不思議な気がした。だったら、あんたはなんで医師をやめないんですか、世の中、放射線科医だけでいいんですかと問いたくなった。

大昔、病気は悪霊が原因と考えていた。そこで掛け声をかけながら矢を外に放ち、矢の霊力によって悪霊を追い出そうとした。「醫（医の正字）」の字中の「矢」はその名残《なごり》である。後には、酒で傷口を洗ったり、酒を興奮剤に使ったりしたので、「醫」の字中に「酉《ゆう》」（酒樽《さかだる》の形）が見えている（白川静『常用字解』）。

現代から見ればチャチな医療である。しかし、病に苦しむ人に対してなんとかして治そうとする人がいたことを「醫（医）」の字は伝えているのである。

古来、患者は死の恐怖と不安との中で医師に頼る。それに応えるのが医師であり、ベストを尽くすのが医師の職業倫理なのである。

もちろん、人知の及ばぬところは多い。しかし、少なくとも今日の医学は、矢や酒に依る大昔の医学よりは格段に進歩している。

とすれば、初めから〈医学は病気を治せない〉という敗北主義に落ちこむのではなくて、治療の可能性を誠実に求めるべきであろう。

iPS細胞研究によりノーベル医学・生理学賞を受賞した山中伸弥氏は、「日の丸を背負って……」「一人でも多くの患者さんの病気を治したい」という信念を持って努力したと言う。志が高いのである。

これに対して、医学は病気を治せないと言うあの慶應大学の某放射線科医は、「iPS細胞を使った療法も効きませんよ」と冷笑するのであろうか。

人間の探究心は、未知の世界の解明をしてきた。それは医学に限らない。人間の文化はすべて探究心の結果と言っていい。それらは志を抱くことから始まる。

にもかかわらず、探究心に敬意を払わず、ひたすら医学を罵倒冷笑するという、志の低い、いや志というものがない医師がいるというのは悲しい話である。

天医・高医・大医ということばとともに、拙医・庸医・懶《らん》医ということばが浮かぶ。いや、妖医もある。人間、堅く正しく常を失わぬ心がけが大切。

**『春秋左氏伝』荘公十四年に曰く、妖は、人より興る、と。**

# 動物愛護の浅知恵

平成二十一年五月中旬、和歌山県田辺市は内ノ浦湾に、マッコウクジラが迷いこんできたというニュースが伝えられた。

クジラと言えば、同県の太地町《たいじ》は江戸時代にクジラ漁で有名。そこのくじら博物館館長は「シャチなど外敵に追われたか、エサを求めて深入りしすぎたことなどが考えられる」と話したという（毎日新聞）。その後、漁業組合の人が「湾から追い出すには音を立てて騒がしくするのがいい」などと語っているテレビ画面もあった。

要するに湾に迷いこんできたものの、自力で脱出できないでいるので〈かわいそう〉だから、大海に帰るのを人間が手伝おうという〈ヒューマニズム〉いや〈ゲイ（鯨）マニズム〉に溢れた、やさしい気持ちという美談めいたニュース。

しかし、これはどうやらピント外れのようである。

校名・芳名ともに残念ながら忘失して申しわけないが、某高専の某先生による研究報告（おそらく同高専の『紀要』）をたまたま読んだことがあり、記憶に残っているが、そこにこうあった。

クジラは魚類ではなくて、哺乳類であり、構造的には人間に近い。その人間に中耳炎があるのと同じように、クジラも中耳炎を発症する。すると耳が聞こえにくくなるため、集団から脱落し、方向はまったく見当がつかなくなる。

こうなると苦しくなる。集団の中におればこそ、エサ（それも大量の）にありつけるのだが、一頭しかも方向感覚を失ったとなると、エサに不自由する上、それこそサメなどに襲撃されよう。

そうした苦しみに耐えかねた中耳炎クジラは、己《おのれ》の大きな体を休ませるための場所を求める。砂浜、浅い海、荒波のない湾、そういうところに横たわり、本能としてみずから静かに死を待つという。一種の自殺である。

この論述は、実に説得力があり、そういう視点で見るべきではなかろうか。

江戸時代、太地地域ではクジラがよく捕れたというが、元気なクジラを当時の網や手槍《てやり》ぐらいの道具でそう簡単に仕留《しと》めることはできまい。おそらく、中耳炎クジラなどが主たる獲物ではなかったであろうか。かつてクジラは大繁殖していたので、当然、中耳炎クジラの発生も多く、江戸時代のクジラ漁はそうした偶然性に助けられていたのではなかろうか。

とすれば、内ノ浦湾に迷いこんだクジラに対しては、捕らえて安楽死を与えることが苦しみから救ってやることになるのである。

それを漁業組合員がドンガラドンガラやかましい音を立て、耳の病に苦しむクジラにわざわざ強い刺激音を与えてさらに苦しませ、そして外海に追い出して、飢えと外敵との苦しみをもっと与える。これがヒューマニズムとやらの人間の浅知恵による慈悲ということなのか。

クジラに限らず、ときどきイルカとかラッコとか、異地域に住む動物が日本に漂着して話題となるが、彼らは属している群《むれ》から、なにかの原因で脱落し苦しんでいると推定すべきである。それをアイドル風、ペット風に見て、今日はどこにいたのいないのと行方を騒ぐのは真の動物愛護ではない。時には死を与うべきである。

**『論語』顔淵《がんえん》に曰く、死生《しせい》　命《めい》あり、と。**

## テレビコメンテーターはふわふわ分子

世論なるものは、ふわふわと浮き漂っている。世論が民主主義だ、多数意見に従えと言われても、ふわふわ世論がどうして最高価値となるのか、私には分からない。世には民衆を扇動する連中がいる。アジテーターである。彼らは、人々が集合したときに現れ、演説して議論を導いた。

私が大学生のころ、世は、六十年（西暦）安保闘争とやらで騒がしく、学生運動が盛んであった。どこでもここでも集会があり、必ずアジテーターが現れてどなりまくっていた。しかしそれは、自分の意見に同意しない者は人間ではないと言わんばかりの感情論であり、論理性や知性のかけらもなかった。

ところが、そういうアジ演説に酔うバカがたくさんいたのである。六十数年前の大学生は、今どきのそれと異なり、しっかりしていたと思われているが、実際はそうでもなくて、大半はふわふわ分子であった。だから、ちょっとしたアジ演説を聞くと、無批判にそうだそうだとヨイショするのが多かったのである。それが京大生の実態であった。そこから推量すれば、おそらく他大学の学生もほぼ同様であっただろう。

それから六十年を経たが、事情に変わりはない。世はふわふわ分子の海である。しかし、異なる点がある。今の人は集合するということをしなくなってきている。

現代の大学では学生の集合など見かけない。集まっているとすれば、ライブショーだの講演会だのであって、集合の意味が違う。今の学生は、個か孤か知らんが、集まりはしない。けれども、大半は昔と同じくミーハーふわふわである。

当然、一般社会も同じであって、相《あ》い変わらずアジテーターに引っ張られている。ただし、今は人の集合がないので、アジテーターはテレビに登場している。いわゆるコメンテーターである。

彼らは昔のアジテーターのような大声で長々としゃべることはしないが、相《あ》い変わらず感情的結論だけを断定的に言う。アジテーターの本質は変わっていない。

さて、選挙。テレビのコメンテーターらは、特定の政党に投票するよう誘導・扇動している。彼らの関心は、どの政党が多数派になるかという話ばかりである。少数議員しかいない政党など何の力もないとして無視し、多数決、世論第一とふわふわしている。

しかし、彼らが本当に世論が大切と言うのならば、弱小の候補者たちの意見をこそ、この機会にしっかりと世に伝えるべきではないのか。

大政党公認の傲慢《ごうまん》な候補者は、小政党の弱小候補者を泡沫《ほうまつ》候補と嘲《あざけ》っている。テレビのコメンテーターらも同様である。

彼らの頭の中は、選挙を機会に民主主義とは何かと考える方向はなく、ひたすら数は力というそろばん勘定だけである。

小政党候補者の意見の中には、耳を傾けるべきものがある。いや、意見だけが重要なのではない。たとい泡沫候補と嘲られようとも、己の志を世に訴える勇気はりっぱなものではないか。

**『論語』子罕《しかん》に曰く、〔多人数の〕三軍《さんぐん》ありとて、〔もし彼らの心が一つでなければ〕帥《すい》（司令官）を奪《うば》ふべし（奪うことができる）。〔しかし〕匹夫《ひっぷ》（たった一人の男）とて〔心が堅《かた》ければ、その〕志《こころざし》を奪ふべからず、と。**

## 京大・日本学術会議のカマトトぶり

茶道――これは日本において完成された。と言うのも、この茶道には日本人の典型的な行動・思考要素が詰めこまれていったからである。例えば、茶道を学び始めた人の作法の一つに〈拝見〉がある。床《とこ》の間に掛けてある書幅（茶掛《ちゃがけ》）や茶碗《ちゃわん》に対して、〈結構なもので〉と褒める。実は、大半の人はその美術の真の価値が分かっているわけではない。〈褒める〉という型を行っているだけである。要は、型の重視ということだ。

ここである、ポイントは。名実一致が最高ではあるが、分離しているのが現実。この名・実両者の内、日本人は〈名〉（形式）を、中国人は〈実〉（内容）を重視する。日本人は型や様式を中心にし、それを深めてゆく。それが〈道《どう》〉となる。

さて、平成三十年三月末、京大は「軍事研究に関する基本方針」とやらを公表した。その内容は「社会の安寧や人類の幸福、平和への貢献が研究活動の目的で軍事研究は行わない」とのこと。このカマトトぶりは、日本人の思考すなわち〈名〉重視、形式重視の最たるものである。

遠い古代や中世のころならばトンカチ鍛冶屋《かじや》の作る刀などが軍事研究なるものの対象となるだろうが、現代においては、どの工業もほとんどが軍事に関わっている。早い話が、ネジ一つ不良品であれば、締め上げ不十分のミサイルを飛ばせない。

自然科学分野のほとんどは、有形無形に軍事産業に関わっている。そんなことは公然の秘密ではないか。それを見ぬふりして〈軍事研究は行わない〉とは、カマトト以外の何物でもない。

いや京大だけではない。日本学術会議とやら、科学者の代表ぶっている機関も、軍事研究に関して全国の大学にいろいろと調査をしている。つまりは学問研究の自由への干渉がましいことを行っている。一方、学問研究の自由を誰も侵してはならないと称している集団である。そんなご都合主義的組織が、本当に必要なのか。

さらに言えば、理系だけではない。文系の学問の中にも、軍事研究につながるものがないとは言い切れない。もちろん、例えば『源氏物語』における助詞「は」の研究のような、超個別的限定的研究などは軍事に関わりはないであろうが。

しかし例えば心理学分野において、人間はどういう条件・状況のときに決心をするのかというような課題の研究を行った結果、その研究成果は軍事に関わりなしとしない。なぜなら、軍事のほとんどが指揮官の決心に大きく関わるからである。

そういう意味では、集団すなわち社会の諸事象を研究する社会学の場合など、軍事研究につながるもの少なしとしない。

一方、一般社会の人々とは無縁に見える哲学にしても、〈考え方〉の研究を含んでいるので、軍事行動に関わりなしとはしない、と言える。

そのように、軍事研究と言えば文字通り「軍事」と名がつくもののみを見る〈名優先〉の思考では現代世界を理解することはできないのである。

**『列子』楊朱《ようしゅ》に曰く、実《じつ》に名《な》なし。名に実なし。名は偽《ぎ》（人為的なもの）なるのみ、と。**

## 歴史修正主義という罵倒

歴史上、長く使われてきた言葉の場合は、その概念が定まっているので、意味が動かない。

例えば摂政。その意味は「政《まつりごと》（政事）を摂《と》る（執行する・担当する）」ということで、かつて中国では「輔《ほ》政」とか「議政」とかとも言い、そうした官職が臨時的ではあったが存在していた。

ただし、それらは皇帝親政（皇帝親《みず》から政《まつりごと》す）や天皇親政の時代のもので、今日のような国民主権そして立憲君主制の近代国民国家における摂政とは異なる。

もっとも、共通するものがある。摂政は、あくまでも一定期間の代理として任命されるものであるから、時機をみてその任を解く。すなわち摂政は官職なのである。

一方、例えば皇后は「冊立《さくりつ》」と称し「立皇后」（皇后に立つ）を表す。皇族なので交代はなく、除くときは「廃」となる。

さて現代。上述のような例と異なり、用語の概念が絶対的でなく、使用者によって、その意味が変化してしまうことがある。

例えば「福祉」。これは幸福という意味で西暦前の中国で生まれた言葉であり、わが国の民法第一条「私権は、公共の福祉に……」、日本国憲法では、第十二条「……常に公共の福祉のために……」など五カ所にその意味として使われている。

しかし、現代では「福祉」と言えば、ほとんど「社会福祉」という意味として限定的に使われている。

この例のように、抽象的な意味の場合、漢字熟語を使って表すことが多いが、その作成後、漢字熟語の字面《じづら》だけが一人歩きする宿命がある。その例が「歴史修正主義」という言葉である。

歴史修正主義――この言葉自体は、文字通り当たり前のことを示している。すなわち、歴史を研究する際、客観的証拠に基づいて事実を明らかにし、従来の観点や定説の不備を修正し、より正確な歴史を明らかにするということであるから。

ところが、この用語が戦後七十五年において政治性を帯びていった。事の起こりは、ナチスのユダヤ人に対する非人道的行為という〈歴史〉に対して、そのようなことはなかったと〈修正〉する説が出たからである。これに対し、そのような〈修正〉が歴史的事実に反するにも拘《かか》わらず登場したのは、政治的発言であり、歴史研究の成果ではないとの批判が出た。

以来、「歴史修正主義」という用語は、政治性の有無に対する評価を表すようになり、本来の歴史研究上の意味が不幸にも崩れてしまった。

しかも、崩れた意味での〈歴史修正主義〉を強く前面に出してきたのが、特に中国であった。

もともと中国には〈正史〉という観念がある。司馬遷の『史記』に始まり歴代王朝の大半に対して、各正史が作られてきた。官製の歴史であり、これを軸とした。その他の歴史は野史であった。

飛んで現代。中国共産党では、時の最高実力者のすることが正統であり〈正史〉的であり、それと異なる思想や行動は〈修正主義〉として否定してきた。近くの好例は文化大革命。

政治的失策で失脚していた毛沢東が権力奪回闘争をしたのが文化大革命であったが、最大対象の敵、劉少奇《りゆうしようき》国家主席を〈修正主義〉として攻撃し、その打倒に成功した。その際、修正主義者と罵倒された人々の運命は悲惨であった。どれほど多くの人々が追放され、殺害されていったことであろうか。

このように、中国では、「修正主義」、延《ひ》いては「歴史修正主義」という用語は、非常に強い政治性を帯びている。すなわち現政権担当者の自己保身のための〈正史〉を守り、それに反する考えを〈歴史修正主義〉として力で排除するのである。

例えば南京大虐殺は、中国の正史としては存在している、いや存在しなければならないという悲鳴なのである。

その正史を否定するなどという主張や研究は歴史修正主義であり、許さない。それは、歴史研究という学問的立場ではなく、政治的立場からの批判なのである。

評論と研究とは異なる。評論の世界とは自己の理解に基づく主張である。政治性もあるだろうし、時には反社会的性格も帯びよう。要は、その主張の独自性と説得力との問題である。それに拠《よ》っての歴史修正説が出ることもあろう。

一方、研究の世界とは、資料を根底にした客観的事実に基づき、既存の研究（正史に相当）に対して批判を加え、説得力のある妥当な真実を新しく提起すること（それを修正と笑わば笑え）なのである。特に文系の研究の世界では〈修正〉は当然のことであり、常のことである。〈正史〉として従来の説にしがみつくのは、過誤である。

歴史修正主義――それは文系学問研究の態度として本来正しい。修正主義者という政治的罵倒に臆することなく、学問研究が絶えざる修正であることに自信をもって、特に近現代について研究して欲しく、それを日本の若い研究者に期待している。

『論語』学而に曰く、過《あやま》ちては則《すなわ》ち改むるに憚《はば》かることなかれ、と。
また『論語』子張に曰く、小人の過《あやま》つや必ず文《かざ》る（あれこれ弁解する）、と。

第六章

# まっすぐに見よ

## あふれる利己主義者

まだ四月というのに、大学生はもう就職活動、いわゆる就活の時期に入ったとのこと。その特集報道を新聞で読んでいて非常に不愉快な事実と出会った。記者の取材に答えて、就活学生が内定（会社）数を挙げていた。内定三とか五とかと。

それはおかしいではないか。

もし、会社から採用内定の通知が届いたならば、ただちに就職する会社を決め、そこへお礼と入社後はがんばりますという返事を出す。そして第二、第三の内定通知は、すぐさま辞退の返事をすべきである。

にもかかわらず、内定通知が来たあと、順番に承諾の返事を出し、その三社の内、どれを選ぶか、じっくり考えると言う。

と言うことは、三社の内、二社は採用計画が狂うのみならず、その二社に採用される可能性のあった学生の就職機会を奪ったことになる。

そんな勝手極まる学生は、採用しても、ものの役に立たない。単なる利己主義者を雇うことになるだけではないか。

自己の内定数を三とか五とかと誇るのは、人間としての資質に欠けるところがある。つまりは、大学教育を受けたとしても、道徳性を高められなかったということだ。そうなると、教育の問題というよりも、その人間自身の持つ欠陥の問題であろう。

そういう欠陥例の最たるものは、子の虐待死という行為である。

若者男女がくっついて同棲《どうせい》。やがて子が生まれると男はどこかへ逃げだす。女は再びつまらぬ男とくっつき、今度は己の実子を男とともに虐待して殺す。男は二人とも無職で、女の収入あるいは女の生活保護費にぶら下がる最低の連中。

これは、己だけが幸せになればいいとする利己主義そのものである。のみならず、反省とか悔恨といった謙虚さなどまったくない。その実例が最近あった。

大阪の寝屋川市において一歳の三女を虐待死せしめた両親（二十八歳と二十九歳）に対して、平成二十四年三月二十一日、大阪地裁において裁判員裁判による判決があった。検察による求刑は、両被告ともに懲役十年であったが、判決はそれを上回る懲役十五年であった。*注事件の悪質さからすれば、検察の求刑は軽いと裁判員たちが判断したわけである。実にすぐれた判断である。その通りだ。軽い求刑しかできなかった大阪地検は、検事の証拠捏造《ねつぞう》事件以来、及び腰になっていたのかもしれない。

さて後日、この両親は控訴した。理由は、判決が重すぎるからとのこと。呆《あき》れた。なるほど控訴する権利はある。しかし、この理由は何の反省もないことを示している。無抵抗の乳幼児に対して犯した罪は、非人間的〈殺人〉であり、本来、万死に値する。真に反省するならば、いかなる罰をも受け入れるべきである。その反省などまったくなくて、重いの、お助けを、軽くに、などというのは利己そのものであり、人間として欠けている。

求刑を上回る大阪地裁の判決――乱世の昨今にあって、みごとな春光であった。

**『論語』里仁《りじん》に曰く、君子は刑《けい》（責任を取る覚悟）を懐《おも》ひ、小人は恵《めぐ》み（お助け）を懐ふ、と。**

＊注　二審大阪高裁も地裁の判断を支持したが、上告を受けた最高裁は平成二十六年七月二十四日、従来の量刑傾向に沿った量刑に修正し、父親を懲役十年、母親を懲役八年とした。裁判員裁判の量刑が最高裁で初めて見直された。

# 罪作りなテレビ番組

老人になると、なに一ついいことがないように世間は言う。けれども、よいことがないでもない。例えば時間。老生、残り少ない人生とは言うものの、現実はひまを持てあましている。

で、なんとなくテレビをよく見る。そして気づいたことが二つ。天気予報と食事ものとがやたらと多いことだ。

天気予報は朝から晩までしている。日本人が骨の髄《ずい》まで農耕民族感覚であり、天候が気になるからであろうか。それも雨の降る確率までパーセント表示。けれども頼りない。「明日は雨」と予報していたのに晴になったりする。

しかし、すみませんの一言もなく、しゃあしゃあと「今日の晴は明日も続くでしょう」と小娘気象予報士は言う。虫も殺さぬ顔をして。その点、オッサン気象予報士はちょっと言いわけをする。

もう一つの食事もの——料理、食べ歩き、健康メニュー、特産の紹介と、これがまた多い。わけても、グルメ（美食）番組が旅行とセットでよく作られている。人気があるのだろう。しかし、それでいいんですかねぇ。

仏教の輪廻《りんね》転生《てんしょう》説によると、解脱《げだつ》して仏となった者以外、すなわち圧倒的大多数のわれわれ凡俗は、来世、六道《ろくどう》（六つのコース）のどこかに生まれ変わる。

六道はランキングであり、生前の行為の善し悪《あ》しによって査定される。死後も偏差値の世界よ。人間道（人間界）は上から二番目、地獄道は最下位の六番目。

さてその五番目に餓鬼道がある。ここに墜《お》ちると、食べものを口元に持ってきて食べようとすると、ぽっと火がついて食べることができない。すなわち人間の最大欲望である食欲が満たされず、飢えの苦しみが続く。これが餓鬼道。

このコースに墜ちる者は、実は生前に分かっているのである。すなわち美食する者、もっともっと食べたいと思う者、腹いっぱいを幸せとする者……。こういう人間どもなのだ。

と言うことは、テレビの食事番組なんてのは、餓鬼道に墜ちる予行演習みたいなもの。テレビ局も罪作りな御苦労な話である。

いや、テレビ番組だけではない。今や日本中が食べものの話ばかりである。しかもメディアは、不景気が深刻化し、肉やパンが十分に食べられなくなると騒いでいる。こういう騒ぎ、私には分からない。肉がなければ魚があるじゃないの。パンがなければ米にもどればいいじゃないの。ネギや小松菜などなどは、自宅のベランダで相当に多く採れるではないか。

だいたいが、腹いっぱい食べずに腹八分目、いや七分目が健康的なのである。

先日、「リストラされて生活できない」という人の姿がテレビ取材されていた。生活――食べてゆくのが大変と訴えているその男性は、なんとタバコを吸っていた。タバコなどやめるべきだろう。食べてゆけないのなら。やはりどこか考えかた、人生への取り組みかたが甘いように思えた。〈腹いっぱいの、暖かい家屋の人生〉が欲しいのなら、そうなるような人生設計をし、若いときから努力して実行してゆくべきであっただろう。

**『論語』学而に曰く、君子は食に飽《あ》くるを求むること無く、居《お》る（住居）に安き（安楽）を求むること無し、と。**

# 欧米物真似のインテリ

平成二十七（二〇一五）年、夫婦別姓（正しくは別氏）問題についての議論が盛んであった。その諸議論を読んでいると、別姓派は便宜的な実用的な観点が中心であり、また、実家において使ってきた親近感が失われるという気分を重視する。

反対派は、同一姓による家族の一体感を重視している。

両派ともにそれぞれの言い分があり、平行線となっている。そこで、両派の頭を冷やすために、実質的な、かつ基本的な大きな背景について述べたい。

民法学者の中川善之助は「婚姻をしても夫婦夫々《それぞれ》の氏に変動は起らないというのが、キリスト教国を除く世界諸民族の慣習法であった。中国然《しか》り、韓国然り、アフリカ然り、そして日本また然りであったのである」という（拙著『儒教とは何か』）。

その日本における儒教的な夫婦別姓に対して明治二十三（一八九〇）年、法律家の井上操は「然レドモ幕府以来実際ハ夫《おっと》ノ氏ヲ称シ、現ニ今モ夫ノ氏ヲ称シ戸籍ノ如《ごと》キモ別ニ実家ノ氏ヲ示サズ。故ニ習慣ニ悖《もと》リタルニアラズ。実際現行スル所ニ従ヒタルナリ」と述べる（同『家族の思想』）。

こうなると、いったいどうなっているのか、ますますこんがらがってくる。老生は、前記拙著二者等を通じて夫婦別姓問題について自説を論じたが、ここでは紙幅の制約上、大筋の方向についてだけ述べる。

その大きな背景としては、幕末に結んだ不平等条約の改正という明治政府における大問題があったと老生は見る。

例えば明治初期、国内における欧米人の犯罪を日本の法律で取り締まることができず、いわゆる治外法権のような状態となっていた。

そのため、条約改正を欧米に要求したところ、欧米は自国人の保護のため、欧米の諸法律のような法律を作れと日本に対して逆要求した。

そこで作ることになったが、犯罪は人間共通なので刑法はすぐ作れた。しかし民法には苦しんだ。別《わ》けても親族編には。なぜなら家族の観念が欧米諸国のそれと異なっていたからである。

大激論の結果、欧米キリスト教文化圏の家族が持つファミリーネームを取り入れ、明治民法第七四六条「戸主及ヒ家族ハ其家《そのいえ》ノ氏ヲ称ス」ことにし、夫婦同氏となったのである。血の同一の〈姓〉ではなくて、組織としての〈氏〉であることに注意。これはキリスト教文化圏の欧米の模倣であった。そして長い時《とき》を経て今日に至っている。

ところが、第二次世界大戦後の欧米において、女権拡張運動が起こり、その波の中で、欧米諸国においてファミリーネームからの脱却が始まり、今日に至っている。

この波に乗ろうとしているのが日本の〈夫婦別姓（氏ではなく）〉運動派である。要するに欧米女権拡張運動の猿真似《まね》である。

と述べてくると、こう言えよう、どうして日本は欧米に弱いのかと。明治のときは、キリスト教文化圏のファミリーネームを真似、第二次大戦後では、欧米圏の女権拡張運動に乗ってファミリーネームを捨てて別姓化へ走ろうとしている。そんなに欧米に振り回される生きかたでよいのか。

**『説苑《ぜいえん》』談叢《だんそう》に曰く、事《こと》究《きわ》めずして、強《し》ひて成すべからず、と。**

## 〈ノーベル賞で理数振興する〉との大嘘

平成二十（二〇〇八）年十月、なんと、ノーベル賞に三人と。翌日にはまた一人。御同慶の至りである。

早速、メディアに論評が出た。その多くは、最近の子供の数学・理科離れが、このノーベル物理学・化学賞の受賞で歯止めがかかるのではないか、と。

それ、大嘘。よくもまあ、そんなこじつけが言えるものである。高度の物理学や化学が分かるのは、ごく少数の才能がある者だけ。この真理は昔も今も変わらぬ。圧倒的大多数の理数ぼんくら（もちろん老生も含めて）は、理数なんて端《はな》から興味なし。と言うよりも、分からないのである。それを「分かれ」と言うのは無理筋。老生、大学受験において、数学・理科では苦労の限りを尽くした。分かるかよ、あんなもん。

平成二十年受賞者の南部陽一郎氏の「……破れの理論」とあると、破れなのだから、その対称として「……繕《つくろ》いの理論」もあるのかなあ、という程度の理解。それでどうして理数振興となるのよ。

ここ、ここが肝腎《かんじん》。理数といえども、義務教育程度のものなら、これはしっかりと理解できなくてはならない。もちろん、それすらも理解できない者はいるが、義務教育レベルなら、なんとか理解が可能である。本当に分かったかどうかは別として。

ところが、それが学校教育できちんとなされていないので、理数離れが起きているのだ。それはノーベル物理・化学賞の受賞者レベルとは、ほとんど関係のないところでの事情なのである。

政府は、ノーベル賞受賞者を三十人、いや五十人に増やしたいと言っている。御苦労な話である。それも大切だが、義務教育すなわち中学三年生までの範囲内で、理数をしっかりと理解させることのほうが、もっと大切ではないのか。そういうしっかりした基盤がなくては、ノーベル賞級という天下の大秀才は現れない。

さらに言えば、義務教育内の理数を理解させ、また、水準を上げようと思えば、実は国語力を高めることが第一なのである。

義務教育のレベルの理数は、理数の才能がなくとも、国語力があればなんとかこなせる。小学校の算数の文章問題など、ほとんど国語問題ではないか。この国語力のない者は、理数が分からず、理数離れするのである。

理数振興を図ろうとするならば、実は国語振興が近道なのである。ことばのパンチ力が理数を楽しく分からせるのだ。

しかも、この国語教育は、単なる知識教育ではない。国語を通じて人格も高めるという最高の教科でもある。そういう人間教育を担う国語教育を疎《おろそ》かにしては、ノーベル賞もないものだ。

**『論語』憲問に曰く、徳有る者は、必ず言《げん》（いい言葉）有り、と。**

## 東大入学者は「親の年収が高い」説

孫たちを連れて図書館へ行った。幼児の遊び場にキッズルームというのがある。この部屋で孫守《まごもり》と相なった。

いろいろな子が遊んでいるのを観察したが、子供は無邪気というのは大嘘で、邪気の有るのが多い。壁を蹴るは、知らぬ子にボールを投げつけるは、他者が持っている玩具を奪うは、辺りかまわず奇声をあげるは……である。

かと思うと、ブロックで美事《みごと》な造形を完成する子や、早くも集団のリーダー的才能を発揮する子や、椅子に座って一心に本を読んでいる子や……がいる。

それはすでに大人の世界の縮図となっている。彼らそれぞれの今後の人生のおおよその見取図でもある。もちろん、人生は自分で作ってゆくものなので、幼少期の性向が後に変わることはあるだろう。しかし、そう大きくは変わるまい。本を読む習慣のついた子は、きっと読書好きの人間となることであろう。

ところが近ごろ、珍妙な説を立てる人がいる。それは、親の年収によって、子の学習水準が比例する、と。それを具体的に言えば、東京大学の入学者の親の年収が高いではないか、そういうデータがあるぞ、とのこと。

愚かな話である。親の年収は高いが、道楽《どら》息子、そこまでではなくとも無能な三代目、などという例はいくらでもあるぞ。第一、偉そうに東大の、京大の、阪大の、と言っても、その卒業生の、ま、七割は、平平凡凡の人生を送るにすぎない。

年収の問題ではないのだ。あくまでも環境――知的環境、道徳的環境といったものが大切なのである。その点を見ずに、やたらと物事を金銭に換算して見るしか能のない珍説先生が教育界で発言するのは百害あって……。

たとい貧しくとも、子が本を読みたいといえば、それに応ずることはできるのだ。なにも親が本を買わずとも、公共図書館や学校図書館があるではないか。ちゃんと貸し出しをしているのである。

昔はいざ知らず、現代における児童・生徒の親世代で、図書館の意味や機能を知らぬ者はいない。ならば、己の子にいくらでも読書をさせることができる物的環境があるのに、子に読書の習慣をつけさせることができないのは、年収の問題ではなくて、親自身に問題があるということだ。

本を読む子は、必ず〈為《な》す有る〉すなわち〈有為〉の人物となる。別に東大に進学しなければならない理由はない。それぞれの人生において、読書とともに生きる一級の歩みとなるではないか。

老生の大学生時代、すなわち約六十数年前当時の学生は、ほとんどみな貧しかった。それでも、生活費を削ってでも本を買っては読んだ。学生の年収など吹けば飛ぶようなものであったにもかかわらず、腹を減らしながらも読書していた。

あのころ、友人三人で喫茶店に入り、コーヒー一人前を注文したものだ。コップに水は三人分あるので、コーヒーに付いてきたミルクをコップに入れて薄いミルク水を作る。もう一つは砂糖水。つまり、コーヒー、ミルク水、砂糖水を作り、ジャンケンで順に選んだ。支払いはコーヒー一杯分を割り勘。それから数時間、あれこれことばを引っかけてゲラゲラ笑いながらの文明批評や天下国家論。貧しいながらも楽しく、貧しさはなにも苦痛ではなかった。青春は、物的には貧しいけれども、心は豊かなのだ。

**『論語』里仁《りじん》に曰く、士の道に志《こころざ》すや、悪衣悪食（貧しい服装・食事）を恥ずる者は、未《いま》だ〔同志として〕与《とも》に議するに足らず、と。**

# 中国における「保守」

東日本大震災から一年後、多くのドキュメンタリーがテレビで放映された。その一つに震災後の学校生活を描いたものがあったが、或《あ》るアナウンサーがこう言った。「いのちからがら勉強した」と。

おかしい。「いのちからがら（やっと）逃げるのに成功して、ここで勉強した」と言うべきだろう。このような奇妙な誤解用法が、近ごろもう一つ飛び出してきた。「保守」という語についてである。

平成二十六年三月十四日、中国の全国人民代表大会（国会に相当）が閉幕したが、その結果の全体像を各メディアは、なんとこう表現していた。すなわち「改革派対保守派」と。

「保守派」――このことばを目にしたとき、ふつうならば、そこに〈伝統的なものを継承する集団〉という感じを受ける。ところが現中国の場合、その内容は驚くべきもので、歴史から見れば、その保守派とは革命派のことを指しているのである。

それは、次のような事情である。

昭和二十年、日本の敗戦後、中国では蔣介石《しょうかいせき》率いる国民党が中華民国の政権を担当した。

しかし、毛沢東率いる共産党が内戦で中華民国を台湾に追い、中国大陸において中華人民共和国を建国、毛沢東が最高指導者となって農村を中心に社会主義革命を行った。けれども、稚拙で性急な革命政治の結果、多数の餓死者を出し、貧困な国家となり、毛沢東は失脚した。

代わって政権を握ったのが劉少奇で、都市中心に発展を図った。それは、毛沢東の農村中心とは反対の方向だった。

そこで、毛沢東は文化大革命という看板の下、劉少奇らを修正主義と非難し、社会主義（共産主義）革命を叫び、劉少奇政権を倒して権力を奪取した。そして再び農村中心の政策を推進し、都市の知識人らを農村で働かせた。

その結果、都市の力は落ち、国家として立ち行かなくなった。そこで劉少奇派だった鄧小平が復活して指導者となり、毛沢東の文化大革命・農村中心を否定し、都市を重視し、資本主義も取り入れ、現在の政権に至っている。

という大筋であるから、もし改革派対保守派と称するならば、その保守派とは、共産主義革命推進派のことであるべきではないのか。

中国では、いわゆる伝統派などすでに完全に消滅しており、日本人の感覚にある保守派などはどこにも存在していない。すなわち、現在における改革派対保守派の保守派とは、改革派に押さえつけられている共産主義革命派のことである。

その集団をメディアが「保守派」と称するのは、奇妙な誤解と言うほかない。その〈保守派〉とは、今の改革派政権よりも時間的に古いというだけの旧政権派のことであって、中国文明や中国の歴史・文化・伝統を背景とする真の〈保守派〉とはまったく別のものである。

「保守」という重要なことばに対するこの誤った理解が、いつから始まったのか知らないが、日本において広がらないという保証はない。

**『論語』泰伯に曰く、辞気《じき》を出《い》だしては、すなわち鄙倍《ひばい》に遠ざかる、と。**これは、「正しいことばづかい（辞気）をするならば、卑《いや》しいことば（鄙倍）は入ってこない」の意。

## 力量もないのに理念

明けても暮れても、トランプ、トランプ騒ぎである。もちろんメディアが震源。しかし、われわれ一般人にとって、本当に関わりがあるのであろうか。

例えば、尖閣諸島に中国が侵略してきた場合、もちろん答えは一つ。日本として応戦あるのみ。日米安保条約の適用がどうの、ああのこうの言っているひまなどない。その後のトランプ大統領の決定は、アメリカの国益になるのかどうかという見極めの結果にすぎない。

どの国家でも、自国にとって有利か不利かの判断に基づいて政治（もちろん軍事を含めて）を決定するのであって、絶対善の神のような立場に立つことなどありえない。

にもかかわらず、朝から晩までトランプ批判をしているのは、最初から彼を悪と決めつけ、悪を批判することによって、己は正義に見える化粧をしている姿ではなかろうか。

トランプ大統領は、公選（正規の手続きによる選出）された。ところが、アメリカ人の一部は、その後もデモを繰り出しては当選反対を叫んでいる。おかしいではないか。自分が支持する者以外は認めないというそうした思考と行動との果ては、ファシズム礼賛となる。その例は山ほどある。

なぜそれほどトランプ批判をするのであろうか。特にトランプの言動を笑いの種にするのであろうか。

日本のテレビ等におけるトランプテーマの場合、コメンテーターなる者――評論家や大学教員、報道記者、テレビアナウンサーなどには、自分は知識人であり、完全人格であるという高慢な態度が見え見えだ。

そして〈理由もなく〉トランプ大統領は無知、商売第一の男と見下し、こう放言している。「理念がない」と。

ならば借問《しやもん》す。「理念」とは何ぞや、と。

美辞麗句――世界を平和にし人類を愛し、東に病人があれば看病し、西に老人があれば介護し、南に末期患者があればあの世での安住を説き、北に戦争や争乱があればつまらないからやめろと言い……ということを雨ニモ負ケズ、風ニモ負ケズ、彼方此《あちこ》方《ち》言い回ればよいのか。で、そうあって具体的にどうする。具体的には結局ゼニカネの話となる。そのとき、口先だけの理念など消し飛んでしまうことであろう。

　理念がない。それでいいのである。力量もないのに下手に理念など持つとそれに縛られて、事態は悪くなってゆく。オバマ前大統領がそれに類する。

　仮にトランプ大統領に理念がないとすれば、それは好都合である。日本は国益を第一にして、さまざまな〈取引〉をしながら交渉できるではないか。

　小学生のような〈理念〉大統領よりも、すれっからしの〈取引〉大統領の方が、日本の国益のためによい。

　トランプ大統領は多くのマスコミを罵倒している。ならばそのマスコミは彼を無視し尽くせばよいものを、逆に追いかけまわしてあちこちで遠吠《とおぼえ》して悪口を言っている。まことに珍妙な滑稽な光景ではある。


**『論語』衛霊公《えいのれいこう》に曰く、巧言《こうげん》（さわやかな弁舌）は徳（相手の道徳心）を乱る、と。**

# 第七章

# 日本人が語り継ぐべきもの

# 信時潔——苦難七十年

平成二十七年十一月二十二日、大阪で交声曲「海道東征」を鑑賞した。北原白秋の作詩に基づき、信時潔《のぶとききよし》が昭和十五年に作曲した大作である。

その内容・主題は、神武《じんむ》天皇が九州から瀬戸内海を通り、熊野、浪速を経て、奈良の橿原《かしはら》で即位する、東征建国神話である。

『日本書紀』が記すその即位年は紀元前六六〇年に当たる。そこで換算して、皇紀（天皇暦）二六〇〇年が昭和十五年に当たることを記念して、さまざまな慶祝式典が行われた。その中で、信時作曲の「海道東征」が生まれた。

その歴史的価値や評価などについては、産経新聞「正論」欄において、新保祐司氏がこれまで何度か論じておられるので、それに譲る。演奏当日、新保氏が解説をされ、同曲の特長がよりよく分かった。戦前、同曲はよく演奏されたらしいが、戦後におけるいわゆる〈戦前の全否定〉の風潮の中で、演奏されなくなった。それを惜しんで同曲を価値付け、此度《このたび》の公開演奏に至ったのは、新保氏の功績である。同氏は埋もれていた名曲の発掘者である。

さて、聴衆の一人であった老生にとって、「海道東征」曲はどういう意味を持つものであるかということについて、感ずるところをいささか述べたい。

とは言うものの、老生は音楽についてまったく無知であるので、音楽の本質的問題等については分からない。ただ、一人の聴衆としての気持ちの吐露である。

同曲の作曲者、信時潔は昭和十二年、「海行かば」を作曲した。

海行かば水漬《みづ》く屍《かばね》、山行かば草むす屍、大君《おおきみ》の辺《へ》にこそ死なめ、顧《かえり》みはせじ――『万葉集』にある大伴家持《おおとものやかもち》の長歌中の句である。

この曲が、多くの人、とりわけ青年たちを戦場に追いやったとする信時批判がある。しかし、大東亜戦争中の学徒出陣における有名なエピソードを忘れてはならない。すなわち、大学生たちの出征前、神宮球場において、壮行記念の早慶戦が行われ、最後にたがいの相手チームの応援歌をもってエールの交換をした。そのあと〈自然発生的に〉観客全員が総立ちで「海行かば」を歌ったという。

このエピソードを想《おも》い出すたびに、八十歳餘の老生、目頭が熱くなる。現代日本のような、平和な時代においてならば、椅子に座って足を組み、戦争反対と唱えるのはたやすい。しかし、大東亜戦争のあのときは、曲がりなりにも国民国家であった自国を守るために、若者は戦場に赴いたのである。それは死を覚悟の壮烈な自己犠牲であった。その人々を戦地に送る歌「海行かば」は同時に、やがて迎える壮絶な死への鎮魂歌であり、慰霊の歌であった。

戦後の「海行かば」批判は即ち信時批判であり、それとともに「海道東征」も忘られていったのである。

その「海道東征」の演奏を聴いていて、ふっと頭をよぎった言葉は「戦後七十年」であった。

海行かば――その後、この七十年、わが国は苦労の連続であった。大東亜戦争において、世界最大の工業国かつ農業国のアメリカを相手に戦い、敗戦後、その工業水準に追いつく苦労は大変なものであった。しかし、日本人の勝《すぐ》れた力によって、奇跡的に復活を遂げ、今日がある。

その際、欧米工業の単なる模倣ではなく、日本人の勤勉・精密・職人精神・努力等の特性を集団協力の中で生かす日本の独自性が花開いた。その文化に対して欧米はわが国に敬意を表している。アジアの欧米猿まね諸国とは決定的に異なるのである。

戦後の〈苦労の七十年〉――それは成功裏の展開となって今日に至っている。それが可能であったのは、〈苦労の七十年〉前の日本があったからである。

奇《く》しくも、「海行かば」が生まれた翌年の昭和十三年は、明治維新から数えて七十年にあたる。

その七十年とは何であったか。

欧米列強の圧力の中、近代化（実は欧米文明の物まね）を図り、必死になって国家を維持し、国力の増強に努めた。そして強大なロシア帝国と戦い、陸・海ともに撃破した。有色人種が始《はじ》めて白人に勝った歴史的事件である。

資源が貧弱であったわが国は、さまざまな工夫と努力とを重ねて有力近代国家となった。それは〈苦難の七十年〉であった。

しかし、自国の伝統文化を失わず、よく維持し、欧米文化との融合にも成功した。植民地文化のままのアジア諸国家とは異なる。

音楽もそうであった。西洋音楽を受容した明治維新七十年後、洋楽形式を取りつつ、しかし日本人自ら建国神話を荘重に奏でるに至る。それは〈苦難の七十年〉を経て生まれたのである。

その〈苦難の七十年〉があればこそ、戦後の〈苦労の七十年〉を乗り越えることができたのではなかろうか。信時の「海行かば」「海道東征」はまさに両者のその節目に、しかと存在する。

〈維新後七十年〉に生まれた白秋の美詩、そして信時の天楽《てんがく》が織りなす「海道東征」曲再生の中、静かに〈戦後七十年〉が暮れてゆく。併せて令和元年は明治維新後百五十年の日々である。

詩と言えば、**『詩経』関雎《かんしょ》の序に曰く、天地を動かし、鬼神を感ぜしむるは、詩より近きはなし、と。**

また歌曲と言えば、**『列子』湯問に曰く、節を撫して悲歌するに、声《せい》　林木を振はせ、響《ひびき》　行雲を遏《とど》む（停《とど》まらす）、と。**

## 欧米個人主義の模倣

昭和二十年、日本敗戦の日は、もう遠い昔のことである。その一年後、私は小学校四年生だった。〈新しい憲法〉ができたということで、担任からその説明を受けていた。しかし、農村でトンボ釣りを楽しんでいた少年には、正直なところ、なんの関心もなかった。この無関心は少年だけではなくて、おそらく大半の大人もそうであっただろう。農村では、新憲法発布以前とあまり変わらない生活が続いていたからである。当時、農業人口は全国民の六割以上、家族共同体も地域共同体も生きており、社会の規律や慣行も以前通りであり、新憲法にそれらを顛覆《てんぷく》させる力があろうなどとは、ほとんどの人は思ってもいなかった。

しかし、それから時は過ぎ七十有余年、農業人口が数パーセントに激減した今日、日本国憲法は日本の伝統を破壊し尽くしてしまった。その根源は第二四条にある。第九条と言っても、第二四条が何であるのか、大半の人は即答できないであろう。第九条ならば多くの人は即答できるであろうが。

第二四条第①項はこう述べる。「婚姻は、両性の合意のみに基づいて成立し」と。この条文は個人主義の立場に立つ。「両性の合意のみ」が家族を形成するという宣言であり、その具体像が核家族である。

夫婦二人の幸せだけでいいとしてきたこの家族像には、夫婦の親も見えない、夫婦の子も見えない。まして親類などはむしろ煩わしいとなる。

こうした希薄な関係からか、近ごろ家族内犯罪が多発している。もちろん、昔も家族内犯罪はあった。しかし、近ごろのそれは異常だ。親の葬儀をせず、その死を隠して親の年金を受け取り続ける。育てられないと称して幼児や少年少女を虐待死に至らしめる親。

或る僧侶が引く次のような実話は、現実のすさまじさを物語って余りある。

或る夫婦は、老親の面倒をみず、親の建てた家から追い出し、庭に掘っ立て小屋を造りそこに住まわせた。老親が亡くなったあと、小屋を壊そうとすると、夫婦の子がこう言ったという。お父さんやお母さんが年とったらそこへ入ってもらうから、壊さないでほしい、と。

明治以来、日本は欧米の個人主義を模倣してきた。もっとも、昭和二十年の敗戦までは、実質は家族主義との折衷であった。

しかし、昭和二十一年に制定された日本国憲法は個人主義一色であり、法律や制度から家族主義を叩き出してしまった。そして、七十有余年の間に、実質的にも家族主義は後退してしまった。

それでは、自律的な個人主義が確立されたかと言うと、それは無理だった。なぜか。個人主義を唱える欧米人といえども、自律的個人主義を身につけるのはなかなか困難で、ともすれば勝手な利己主義者となりやすい。しかし、利己主義者とならさせない抑止力があった。それは、キリスト教における唯一最高絶対神の存在である。この神は人間が利己主義者となることを許さない。この抑止力によって、信仰のある欧米人は自律的個人主義者となることができたのである。一方、欧米人といえども、信仰なき者には抑止力がなく、利己主義者となる。

さて日本。日本には唯一最高絶対の神は存在せず、当然、それへの信仰はなく、抑止力もない。そのため、個人主義という思想だけを導入し教育しても、自律的個人主義者となりえず、勝手な利己主義者となってしまうのである。

現に、見よ、わが国の学校は抑止力なき個人主義を教えるため、目的達成の成果はなく、無惨にも利己主義者の養成機関に成り果てているではないか、小学校から大学まで。

ここで思い返してみよう。東日本大震災のとき、被災者は行方不明となった家族の名を呼び続けていた。ここなのだ、〈絆〉の最も中心となっているのは家族なのである。この家族をつなぐ絆とは血である。家族は血でつながり、家族共同体にこそ日本人の生きる基盤があるのだ。にもかかわらず、〈個人が基盤〉と人々は言い続けてきた。なるほど自律し自立できる個人主義者ならば、それは可能。しかし、日本における〈個人主義〉尊重の実態は勝手な利己主義者の大群ではないか。それも金銭なき利己主義者であるから、当然、その老後は貧しく孤独な死となろう。

家族主義は家制度を超えて、実は日本人の死生観に基づいている。すなわち、(1)祖先から子孫・一族へという生命の連続、(2)子孫の慰霊により人々の記憶に残ること、この両安心感が死の不安や恐怖を鎮めてきたのである。

そうした古来の死生観の上に立った家族主義だからこそ、日本人は最期にはそこに依るのである。

今も微動だにしないこの死生観の上に立つ家族主義において、家族の在り方の抑止力となっているのが祖先なのである。

とすれば、二四条は、教条主義的な個人主義に基づくのではなくて、日本人の死生観に基づき、祖先を敬愛する家族共同体の姿を中心にして示すべき、つまりは改正すべきである。この〈日本人における死〉の問題については、本書の附篇「日本人の死生観」（二二九ページ）において詳述しているのでぜひ読まれたい。

**『書経』太甲《たいこう》中に曰く、〔祖〕先を奉じ、孝を思ふ、と。**
**また『孝経』開宗明義に曰く、孝は徳の本なり、と。**

## 建国記念の日とは何か

二月十一日は「建国記念の日」である。

この日に対して、八月十五日の場合と同じく、反対派が集会し非難する。その理由はこうである。

建国記念の日の前身である紀元節（明治五年に制定）は、第一代天皇とされる神武天皇の即位の日をもってそれに当てている。しかし、神武天皇の存在自体が確かであるかどうかは実証されていない。まして即位の日が二月十一日ということに実証的根拠がない。そういうあやふやなことでその日を建国の日とするのは、科学的でなく、説得力がない、と。

おおむね右のような理由を挙げて反対し、そこから話を広げて、〈建国神話〉は、天皇を中心にし戦前に戻ろうとするものであり、主権在民の今日からは許されないことである、というふうに、左翼陣営のアジ演説に引っ張り込んで、そこから大合唱する。これはいつか来た戦争への道となる。反対、反対と。

ご苦労な話である。では、彼らの言う〈実証〉とは一体、どういうものなのであろうか。

例えば数学の場合、五足す三引く二は、と問えば、答えは必ず六になる。「五足す三」の「足す」ということばは、五と三とを直接に結びつけており、他のことばが入る余地はない。だから、確実に八となる。その後の「引く二」の「引く」も、同じく確実にその八と二との間を結びつけている。このように、一歩一歩と段階を確実につないでいる。これが実証の真の姿である。

しかし、哲学や歴史や文学といった領域の場合、数学のような確実な積み上げ、各段階のつなぎを直接に結合できるような実証を、論述のすべてにわたって行うことは、ほとんど不可能である。

或る所から次の所に移るとき、両者を直接に確実に結合するように見せかけて、実は、執筆者が個人的推論によってジャンプしてつなぐのがふつうだからである。ただ、その推論が〈より実証的〉であること、論理的に納得できることが求められているにすぎない。そこに在るものは、率直に言って、実証めかしていること、すなわち〈実証的〉であるにすぎない。あえて言えば、頭の中で捏《でっ》ち上《あ》げたものにすぎないということ。

にもかかわらず、それを〈実証〉と称し、正しいと強弁するのが、例えばマルクス主義者である。彼らは人間世界を搾取する者（権力者・悪）と搾取される者（民衆・善）とに粗っぽく分け、両者の闘争の中で、善が必ず悪に勝つというような、水戸黄門も顔負けの勧善懲悪の紙芝居をまず作り、その話に合う資料だけを選んで貼りつけ、〈実証〉したと称しているのである。

そういう人々が建国記念の日の実証がないと非難しても、説得力などはない。

では、なぜ建国記念の日などというものが求められるようになったのか、と言えば、それは近・現代が要求したからである。すなわち、近・現代の国家は、国民国家の意識と制度とを持たなければ生き残れない。そこで、その意識を高めるために、自国の歴史に基づいて建国の理由づけをしてきたのである。

その際、アメリカのような、せいぜい二百年余の歴史というような新しい国なら独立宣言の日がはっきりしているので、直ちに建国の記念の日を決められる。

しかし、日本のように古い歴史を有する国の場合、建国の日など新しく考えざるをえなかった。となれば、自国の最古の公的歴史書『古事記』や『日本書紀』に基づいて、誇りをもって定めるまでである。その日が事実かどうかというようなことは、国民国家にとって本質的な問題ではないのである。

例えば、歴史の古い朝鮮民族の場合、自分たちの伝承を尊重し、それに基づき、始祖としての範囲になんと熊を置いているではないか。それが事実かどうかというようなことなど、民族としては問題にならないのである。

それでは、建国記念の日にどう向き合うべきなのであろうか。

その第一は、なによりも先人に対する敬意である。われわれが日本というすぐれた国家において人生を過ごせるのは、先人たちの大変な苦労と努力との結果があったからである。

その敬意が感謝の念となり、自国を愛するという、人間としてのしぜんな気持ちを確かめることこそ、建国記念の日における素朴な在りかたではなかろうか。

そうした敬意の表現、それを東北アジアでは「礼」と称したのである。先人への礼、皇室への礼、日本国民相互における礼――これは東北アジア特有、とりわけ日本ではそれが重んじられ、今日に至っている。

では、国家はどうあるべきであろうか。国家は国民以上に礼を尽くすべきであろう。「国（に、もし）礼なければ正しからず」（『荀子』王覇）と、すでに喝破されているではないか。

政権担当者こそ、建国記念の日を尊重すべきなのである。

**『春秋左氏伝』襄公二十一年に曰く、礼を怠れば、政《まつりごと》を失ふ、と。**

# 旧民主党政権の民主主義誤解

「暴力装置でもある自衛隊」と（旧）民主党内閣の仙谷由人官房長官（当時）が平成二十二年十一月十八日の参院予算委員会において発言した。「国家の暴力装置」というこの言葉、昭和四十年代前半、五十数年前の大学紛争のころ、全共闘系学生集団いわゆる新左翼が警察、特に機動隊を指していつも使っていた。この発言により、仙谷某が新左翼思想の持ち主であることを自ら示した。すなわち、知らず知らずの内に本音をポロリ――こういうのを「語るに落ちる」と言う。

当時、新左翼は本気で、かつ無邪気に暴力革命によって政権を手に入れようとした。だから、敵対者となる警察や自衛隊を、彼らにとって「国家の暴力装置」と位置付けたのは当然であった。

しかし、もし自分たちが社会主義革命に成功して政権を得たとしたならば、今度は立場を替えて、警察・自衛隊を自分たちを守る暴力装置として使い、政権を批判する自由な発言を許さず、弾圧するわけである。その前例こそ、旧ソ連のスターリン政権であり、中国の毛沢東政権であった。今の中国共産党政権も同様である。

仙谷発言は決して一時的な不用意発言ではなく、本音なのである。すなわち、〈民主党政権を批判・非難する者は、軍や警察によって鎮圧する〉という心底を洩らしたまでである。愚かな正直者と言うべきか。

事実、北沢俊美防衛相（当時）は、民主党政権（当時）を批判した民間人挨拶をきっかけに、防衛省幹部を集めた会議を開き、施設内における政権批判を許さぬと決定をし、次官通達として公的化したのである。

それならば、あえて言おう。その事件が起こった埼玉県の航空自衛隊基地の近くに、人事院の公務員研修所がある。そこの講師として、十年近く、毎年一回、私は出講してきた。対象は中央省庁の課長級であり、まさにわが国を背負って立つ人材群である。

その講義の際、私は自民党であれ民主党であれ、批判すべきものは批判した。のみならず、選挙による議員という〈民選政治家〉と、国家試験合格による官僚という〈国選政治家〉とは、上下の関係ではなくて〈立法〉対〈行政〉として対等の関係であると論じてきた。これは私の持論であり、議員らによる政治主導なるものへの真っ向からの批判である。それを公務員研修所という公的施設内で、毎年、論じてきたのである。それは、私の信念の表明であった。

そういう私をどうするのか。北沢流ならば、内閣は人事院に対して、来年度の講師依頼をしてはならぬと圧力をかけるべきである。さらには、官公庁の施設内においては、表現・思想の自由は許さぬという次官通達を全省庁において発すべきである。また、それと連動して、全国官公庁にある膨大な数の掲示板に貼り出されている、労働組合の極めて政治的な諸反対声明文も許してはならない。

そもそも政権与党の民主党（当時）は民主主義を誤解していた。欧米の思想である民主主義は、自立した個人を前提にした〈民が主〉人ということだ。民は、それを選挙という方法によって表現する。

しかし、東北アジアでは、自立した個人という思想・実践はなかなか根付かない。そのため、投票という手段だけがクローズアップされる。個人主義という前提は問わず、形式・手段だけが目的化され、投票数の多さを競うのみとなる。故田中角栄やその流れの小沢一郎らがその典型だ。

だから、選挙が終わると、民はお払い箱となり、単なる愚昧《ぐまい》な存在としてしか見なさない。旧民主党がそれであり、民が民主党を批判することなどもっての外で許さない。新左翼も、もし政権を握っていれば、そうなっていたであろう。つまり、〈民が主〉人ではなく、己が〈民の主〉人と化す。これが、左翼的民主党の民主主義理解であり、大誤解なのである。

東北アジアでは、もともと「民主」という語は「民の主」すなわち君主のこと。また、明治維新前後、選挙で政権担当者が交代するデモクラシーという語の中身がよく分からず、「下克上《げこくじょう》」とも訳した。自立する個人という生き方、そうした文化なき東北アジアにおいて、これは名訳であった。

それなら、一知半解の欧米思想に頼るよりも、政治の知恵の宝庫である儒教古典に範を求める方がまだましではなかろうか。

中国は古代、子産という名宰相がいて、善政の名声が高かった。しかし、世の中の全員が満足するわけではない。村里の学校（郷校）に人々が集まり、あれこれ子産の政策の悪口を言っていた。そこで、部下が子産に「学校をつぶしましょう」と言ったところ、子産は「人々の批判は私にとって先生である（吾《わ》が師なり）」として、廃校を許さなかった（『春秋左氏伝』襄《じょう》公《こう》三十一年）。

政治家にとって最も大切な心構えは、己への批判を感謝して受け止め生かす謙虚さである。それの方が形式的民主主義による多数決よりも価値が高いのである。

子産を尊敬していた孔子も同じ心構えであった。批判者に対し、こう述べている。私は幸せである。私に「**苟《も》し過ち有れば、人　必ずこれを知る（批判してくれる）**」（『**論語**』**述而**）と。

## 日本の皇室と中国の皇帝と

中国の皇帝と言えば、絶対的権力者というイメージがある。

確かに皇帝は権力の最頂点に立っている。しかし、権力を振るった、あの秦《しん》の始皇帝といえども、すべて独断専行したわけではない。例えば称号についての審議を重臣に命じ、重臣は有識者の意見を聞いてから、「皇帝」という称号が妥当という答申をしている。

その後の歴代皇帝も、一般に、重臣との会議（朝議）の上に立って決断している。そうするのは、皇帝の地位が永遠に安泰というわけではなかったからである。

例えば、歴代皇帝二百八人の内、臣下に位を奪われて殺されたり、王朝が倒れて自殺した者は六十三人。この他、病死者の中に毒殺されたという噂のあった場合を入れると、無念の死者はさらに増えよう（樸人『帝王生活』）。

王朝の最後は無惨《むざん》である。例えば、明王朝最後の永暦帝は清《しん》に敗れて今のミャンマーに逃亡していたが、清王朝はミャンマーに兵を入れて恫喝し、帝や皇太子を捕らえ、ともに斬首した。皇太子わずか十二歳。それだけに終わらなかった。それから五十五年後のこと。或る王子は逃れて生き延び隠れていたのだが、発見され処刑された。七十六歳の一農夫としてやっと生活していたのに（同『帝王生活続編』）。

このような権力闘争と異なり、わが国の皇室は別の道を歩んだ。

時を遡《さかのぼ》ると、奈良時代、中国の律令制に倣《なら》ってわが国も律令制にし科挙制を立てた（考課令）。科挙制とは秀才・明経《めいけい》・進士《しんじ》・明法の科ごとに試験選抜して、合格者を中央官僚に任用する制度である。これは、皇帝制を中央集権化するために必要な人材を得る方法であった。

しかし、わが国では成功しなかった。と言うのは、律令制は国家が土地を所有して中央集権を図るわけであるが、日本では、まもなく朝廷の貴族をはじめとして有力者・社寺が私有する荘園という私有地が現れ、それが拡大され転形して、実力で土地を私有する武士団が登場し、大名となり、律令制が空洞化してしまったからである。

その極致が江戸時代の藩である。藩主は将軍家に従って土地を所有し、一方、朝廷からは律令制に基づく位階（正五位とか△△守《のかみ》など）を受けた。実（土地）は私的、名（位階）は公的という形だ。しかし、これが実はわが国に幸いした。各藩の行政官僚は武士であり、末端に至るまで藩主に忠誠心があった。そして明治時代となり廃藩となったものの、多くの元武士官僚が明治政府の官僚となったとき、藩主への忠誠心が天皇へのそれへと平行移動したのである。その結果、日本の官僚は公の精神が強く、私する（収賄など）ことが少ない。

ところが中国の場合、科挙官僚（試験合格者）は皇帝に対して強烈な忠誠心があったが、ごく少数であり、圧倒的大多数の一般官僚には忠誠心を培う機会も環境もなかった。そのため、一般官僚には公の精神が乏しく、私すること（収賄）が多かった。それが今に至っている。全中国に広がって存在していたこの一般官僚の大半は世襲制であり、科挙試験合格者ではない。科挙試験合格者は〈官〉であり、世襲の者は〈吏〉である。この吏が実社会を動かしていた。

つまり、公務員の汚職発生が、中国では多く日本では少ないのには、律令制の実質化（中国）と形式化（日本）との差が背景にある。その上、律令制の実質化は皇帝に権力・権威をともに保証したが、律令制の形式化は天皇から権力を削《そ》ぎ落とした。この律令制は明治維新まで続いたので、位階を与える等の権威は存続した。権力を持つ幕府も天皇のその権威を奪うことはついにできなかった。いや、しなかったのかも。

天皇には、少なくとも室町時代以降、権力がなかった。一方、中国皇帝には権力があったので、それを奪おうとする者が現れる。これが日中両国の歴史や人間の在りかたの大きな差となってくる。

すなわち、日本では、権力の交替があっても、天皇の権威は奪われず常に権力の上に立ってきた。中国では、王朝の交替とは権威・権力の両方を奪うことであった。

今日、世界の正常な国では、政権（権威・権力）は民主主義すなわち選挙方式によって承認される。だから、選挙結果によって権威・権力を失うことがある。そのとき、一種の不安定な政情となる。しかし、わが国はそうではない。わが国の政権には、権力はあるが権威はない。首相は権力者ではあるものの、権威は皇室に在る。

現代日本人はどの首相に対しても敬意を払わない。首相に権威を認めていないからである。だから、首相がいくら交替しても、皇室の権威は不動であるので国家として不安定とならない。これがわが国の底力となっている。

わが国はどのような危機に際しても、皇室の権威の不動によって政治が安定しており、必ず立ち直ることができたのである。それはこれからもそうであろうし、またそうでなくてはならない。

その意味で天皇は政治における中核として内在している。単なる文化的権威や祭祀《さいし》者に終わらない。それが証拠に、ほとんどの日本人の意識としては、権威ある天皇を元首として意識しているではないか。これは強制や法制によるものではない。皇室に対する絶えざる自然な敬意に基づくものなのである。

**『新書』礼に曰く、それ〔聖上が〕民の憂へを憂へば、民　必ずその憂へを憂ふ。民の楽しみを楽しめば、民も亦《ま》たその楽しみを楽しむ、と。**

# 皇室無謬派と皇室マイホーム派と

皇室のことについて書くのは、正直言って気が重い。

それと言うのも、私が古い世代であるからだ。もっとも、敗戦のとき、私は国民学校（今の小学校）三年生であったので、戦前・戦中派の最末席を汚すにすぎない。

しかし、先日、久しぶりのクラス同窓会でわれわれは当時の唱歌を大合唱した。「勝ち抜く僕ら少国民、天皇陛下のおんために、死ねと教えた父母《ちちはは》の……」と。

敗戦の日、昭和二十年八月十五日――暑い日であった。二週間後の九月、始業式のあと、私は作文を書いた。「日本は科学（注／原爆のイメージ）で負けたので、これからは科学を勉強してアメリカをやっつけ、きっと勝ちます」と。子供ごころに復讐《ふくしゅう》を誓ったのだ。当時、学校はクラスの級長を軍隊式に小隊長と俗称していた。私は桜組小隊長としてそう書くのが正しいとしたのは当然であった。

この文を読んだ教師たちはおそらく慌《あわ》てたことだろうと思うが、私には記憶がない。

それから茫々《ぼうぼう》七十五年余、この老骨、皇室への敬意は変わらない。変わったのは、いや変わりつつあるのは、逆に皇室ではなかろうか。

平成二十（二〇〇八）年、西尾幹二氏に始まり、現在の皇室について論争があった。その詳細は十分には心得ないが、西尾氏は私より一歳年長であり、〈勝ち抜く僕ら少国民〉の心情は同じであろう。皇室への敬意に基づく主張である。

その批判者に二傾向、（1）皇室無謬《むびゅう》派（皇室は常に正しいとするいわゆるウヨク）、（2）皇室マイホーム派（いわゆるリベラルやサヨク）がある。

私は皇室無謬派こそ皇室を誤らせると思っている。

歴代の皇室では皇族の学問初めの教科書には『論語』と並んで、いやそれ以上に儒教の『孝経《こうきょう》』を選ぶことが圧倒的に多かった。なぜか。

『孝経』は、もちろん孝について、延《ひ》いては忠について教えることが大目的であるが、もう一つ目的があった。

それは臣下の諫言《かんげん》を受け入れることを述べる諫諍《かんそう》章（『孝経』第十五章）を教えることである。皇室は無謬ではない。諫言を受容してこそ安泰である。そのことを、皇室の方々は、幼少より学問の初めとして『孝経』に依って学ばれたのである。諫言——皇室はそれを理解されよ。

一方、皇室のありかたをわれわれ庶民の生活と同じように考え、マイホーム風に論じる派がいる。

だいたいが、皇室の尊厳と比べるならば、ミーハー的に東大卒だのハーバード大卒だのと言ってもそれは吹けば飛ぶようなものである。まして外交などというのは、下々の者のする仕事である。

にもかかわらず、そのようなことを尊重するのが問題の解決となると主張するマイホーム人権派もまた皇室を誤らせる。

折口信夫は、天皇の本質を美事に掴《つか》み出している。すなわち、歴代の御製《ぎょせい》を拝読すると、中身がなにもないと言う。例えば「思ふこと今はなきかな撫子《なでしこ》の花咲くばかり成りぬと思へば」（花山天皇）。

このような和歌は庶民には絶対に作れない。庶民は個性を出そうとするが、天皇は個性を消し去る。それは〈無〉の世界なのである（折口説の出典名を失念、読者諸氏許されよ）。

折口の天才的文学感覚は御製の性格を通じて、〈無〉という天皇の本質を的確に示している。〈有〉の世界にいるわれわれ庶民は、やれ個性の、やれゼニカネの、やれ自由の、やれ人権の、などと事《こと》・物《もの》の雁字搦《がんじがら》めになっている。そして〈有〉のマイホーム生活を至福としている。

皇室は〈無〉の世界に生きる。それを幼少からの教育によって培《つちか》い、マイホーム生活と絶縁するのである。

なお、皇室を神道の大本とするという論は一面的である。皇室は同時に日本仏教とも深く関わるからである。京都の泉涌寺《せんにゅうじ》に安置されている歴代天皇の位牌《いはい》は仏教者であることを示す。

皇族は、神道・日本仏教さらには儒教に深く関わり、東北アジア諸文化を体現する。日本の核にして〈無〉である以上、可能な限り、皇居奥深くに在《いま》され、やれ国際学会の、やれ国連なんとかの開会式などといった庶民のイベントにはお出ましにならないことである。これは、草莽《そうもう》の老骨の切なる諫言《かんげん》である。

**『孝経』諫諍章に曰く、天子に争臣《そうしん》**（**諫言者**）**七人有れば……天下を失わず、と。**

# 靖国神社——古代からの慰霊鎮魂

平成二十年八月十五日、靖国神社は静かであった。ここ数年のあの騒ぎはいったい何だったのであろうか。

中国はオリンピックや国内治安で忙しく、韓国は現政権打倒の勢力がその運動に熱中していて、靖国神社問題について何一つ騒がない。彼らにとって靖国神社問題は、所《しょ》詮《せん》、対日政策カードの一枚にすぎず、彼らの心の問題ではなかったことをはっきりと示している。

しかし、日本人にとって靖国神社問題はまず何よりも心の問題である。騒がしくない今のこのときにこそ、静かに語るべきであろう。

これまで、靖国神社の存在の正当性について、多くの人によって語り尽くされたと言って過言でない。にもかかわらず、近隣諸国ならびに日本人の一部は、毎回、初歩的な話にもどるため、相変わらず同じ説明を繰り返さねばならない。その徒労から、おのずと反中・反韓とならざるをえなくなる。

一方、日本人側からも、Ａ級戦犯者の分祀《ぶんし》要求などという、神道についての無知、あるいは国立戦没者追悼施設建立などという、中韓への阿諛《あゆ》追従をさらけだす者がいる。もういい。靖国神社問題は、近隣諸国との関係などといった外面的な問題ではなく、あくまでも日本人の心、内面的な問題なのであるから、日本人の主体性に基づいての生産的な議論をすべきであろう。

そこで、私はここに靖国神社に対して新しい一つの提案をいたしたい。それは、日本人の心に沿ったありかたとしてである。

その提案とは、靖国神社の現行の春秋二例大祭の他に、八月十五日に夏季特別大祭を新しく設けていただきたいという願いである。

靖国神社拝殿に向かって左に、鎮霊社という小さな社がひっそりと建っている。昭和四十年の創建で、靖国神社に合祀されていない日本人神霊（例えば西郷隆盛）や全世界の戦死者・戦禍犠牲者（例えば湾岸戦争関係者）の神霊がそこに祀《まつ》られている。

その諸霊を英霊とともに新設の夏季特別大祭において降神して祭神とし、慰霊鎮魂の誠を尽くしていただきたいのである。

A級戦犯として逮捕され、刑死した松井石根《いわね》の主たる罪は昭和十二年の南京事件の総責任者としてであった。しかし、松井大将は昭和十四年に発願し、興亜観音の開眼《かいげん》法要を行い、敵味方ともに慰霊鎮魂し続けた。そのためとして建立した観音寺（熱海市）には「支那事変日本戦没者霊位」「支那事変中華戦没者霊位」と記された二基の位《い》牌《はい》が並んでいる。

退役した松井は戦前から昭和二十一年に戦犯として逮捕されるまで、雨の日も風の日も、二キロ以上の険しい山道を登って参詣し慰霊鎮魂を続けていたのであった。

この在りかたは日本人だけではない。キューバ社会主義革命の指導者カストロは、七月二十六日の第一回革命記念祭において、名誉ある遺族席に、自軍兵士の両親のみならず、打倒した敵のバチスタ軍兵士の「御両親」（カストロのことば）も招いた。

カストロ曰く、「われわれに抗して戦いに死んだ勇敢な兵士たちの妻や子供も、（我が軍死亡者のそれと）平等に尊敬され、保護され、援助をうけなければならない。彼ら（死んだ兵士たち）はキューバの不幸について責めがあるわけではない」と。このとき、カストロ二十七歳（堀田善衛『キューバ紀行』）。

戦争においては、人間は己を正しいとし、それぞれの立場で戦う。憎しみあって戦う。しかし、勇敢に戦った死者に対しては、生き残った者は敵味方の区別なく勇者として遇すべきであろう。

われわれ日本人は、慰霊鎮魂を古代から行ってきた。敵への怨《うら》みも味方への親しみも越え、「怨親《おんしん》平等に回向《えこう》する」（松井のことば）のがわれわれ日本人である。

そうした心のままに、八月十五日の靖国神社（全国の護国神社）夏季特別大祭に参拝しよう。この拙稿を記しつつある折しも、盂蘭盆《うらぼん》の期間であり、人々は祖霊と有縁無《うえんむ》縁一切精霊《えんいっさいしょうりょう》とに回向するときではないか。これは日本人の国民的心情である。

それに基づけば、日本国を代表する首相であるならば、おのずと主体的に参拝することとなるであろう。主体的なのであるから、靖国神社問題を政策カードぐらいにしか思っていない外国勢力に右顧左眄《さべん》することはない。

いや、首相だけではない。両陛下もまた日本人の心情、「怨親平等」を深く確《しか》と理解しておられるはずである。

「すべての戦死者のために、平和のために祈る」ことを靖国神社が具体的に積極的に示されんことを願ってやまない。

遠くは『**春秋左氏伝**』**文公二年**「**吾**《われ》　**未**《いま》**だ死所**《ししょ》（**死にどころ**）**を獲**《え》**ず**」ということば

から、後には「**死ぬやその所を得たり**」ということばとなって使われるようになった。例えば明代の**夏完淳「獄中　母**《はは》**に上**《たてまつ》**るの書」に曰く、人の生**《い》**くるや孰**《たれ》**か死せざらん。死する所を得るを貴ぶのみ、と。**

第八章

# 日本の教育は

# 戦後〈詐話《さわ》〉にまみれて

戦後、七十五年をすでに経《へ》た。その時間は、老生にとって重い。その中身はさまざまであるが、ともあれ、己の経てきた生活すなわち学校生活を軸にして語りたい。

始まりは、何と言っても七十五年前の敗戦の日。いわゆる玉音放送を謹聴したとき、老生は国民学校（今の小学校）三年生、九歳であった。もちろん玉音放送の意味も分らず、音声もよく分らなかった。

老生は大阪で生まれ、大阪で育ったのであるが、戦局の厳しさから、まずは大阪を離れ、香里園（大阪と京都との中間）に疎開した。国民学校二年生の春だった。

しかし、翌昭和二十年三月十三日夜、大阪は東京に続いて米軍に由《よ》る空襲を受けた。その燃える大阪を香里園から見ていた。大阪方面の夜空は赤く、そこに大阪城が黒色のシルエットでくっきりと見えていた。今もはっきりと覚えている。

翌朝、焼けて空に吹きあげられた黒焦《くろこ》げの紙や新聞紙の断片が多く舞い落ち続けた。大阪から二十キロも離れた香里園の地に。これも忘れられない。

そこで香里園も安全でないということになったのであろう、四国は愛媛県の父の郷里に再び疎開することになったのである。昭和二十年の初夏であった。そして数カ月後に敗戦を迎えた。

その敗戦の日の夕方のことである。或る家に人々が集まって話をしていた。もちろん、ほとんどが農夫であった。老生は少年ではあったが、その集団の外で話を聞いていた。そのうちに、その内容に仰天したのであった。

何を話していたのかと言うと、今後の日本はどうなるかということであった。それは当然の話題であってしぜんであった。ただ、驚くべきことは、その次に現れた話題であった。

これから敵軍に占領されることになるが、どういう割り振りだろう。北海道はソ連、本州・沖縄はアメリカ、九州はイギリス・オランダ、そして四国は「支那じゃろう」という結論であった。

そのときの雰囲気は、今にして思えば〈冷静そのもの〉であった。新聞をろくに読みもしない農夫たちがである。

亡父は小学校教員であったが、戦時中、髪は丸刈りにしなかった。伸ばして七三に分けていた。もちろん、周辺のほとんどの人は丸刈りであったが、平然としていた。亡父は、もちろん左翼ではない。それどころか、昔ながらのまさに封建的人間の典型であった。しかし、冷静であった。新聞が「敵巡洋艦二隻を轟沈《ごうちん》」と大見出しにしていると、その大本営発表を「皇軍二隻沈んだということじゃ」と大声で言い、亡母から「よそに聞えたらあかん」と制止されていた。

戦後の占領軍のことを敗戦の日の夕方に語っていた農夫たち、大本営発表の嘘を知っていた小学校教員——言わば庶民は〈冷静に〉大東亜戦争と接していたのである。

戦後、左翼は、日本の政治家や軍は国民をだましていたとか、憲兵や警察が自由な〈ものの見かた〉を抑圧していたとかと言うのは嘘である。国民は意外と冷静であり、真相をじっと見取っていたのだ。

同じく、敗戦時、国民（小）学校三年生であった老生も子供ながら冷静であった。八月十五日から二週間後、二学期が始まった始業式のその日、校長がいろいろと話していた。もちろんその内容を覚えていないが、敗戦の事実や意味などを話したことであろう。

しかし、私は作文において「鬼畜米英にふくしゅう（復讐）する」と書いていた。校長の説法も屁の一発であった。以来、思想転向することなく、軍国少年のまま、今日に至っている。その間、左筋がどれほど偽善的であったかを痛感してきた。

その偽善の本質とは、彼らが非難する軍国主義者と実は同じで、徹頭徹尾、煽動者、アジテーターであったことだ。

もちろん、アジテーターは、常に安全地帯にいる。本能的に安全地帯がどこにあるかということを逸速《いちはや》く察知してそこに身を置き、あとはアジテーターに徹する。敗戦以降これまで、例えばそういう大学教員がどれほど多くいたことか。さらには、いわゆる学生自治会の中心にいた者ども。大学の教員・学生が世を誤らせてきた〈詐話〉の七十五年と言って過言でない。

## 中学生レベルの大学生

では、人々はどうしてそんな詐話にひっかかることになったのであろうか。

老生、その根源は、敗戦後の教育制度改革、すなわち〈大量の進学者〉の登場にあると思う。それはこういう意味である。

まず第一は、義務教育が小学校の六年間から、新制中学の三年間を加えて九年制となる教育制度改革によって教育内容が多くなり豊かになったとする。

これには相当の誤解がある。それ以前では、尋常小学校卒業後、旧制中学校・高等女学校・師範学校・実業（商業・工業・農業等）学校等へ進学する者以外、高等小学校（二年制）に進学する者が相当にいたのである。すなわち、新制中学校三年間にほぼ近い高等小学校二年間があった。義務教育ではなかったが。

のみならず、新制中学校は、「中学校」ということばが広がるうちに、旧制中学校的イメージと化していった。ここに大問題があった。

と言うのは、旧制中学校は、本来、旧制高等学校や旧制専門学校等への進学のコースであったからである。このコースは、率直に言って、相当の学力を求める。だれもかれもが進学するのではなかったのである。

例えば、現在の高校で教えている数学や物理が〈分らない〉生徒、どんなに個人的に丁寧に教えても〈分らない〉生徒は相当に多くいる。いや高校生どころか、小学校の算数の最重要点、すなわち割合（パーセント）を理解出来ないままに中学校へ進学する者が相当に多くいるのである。

実話を一つ。十年ほど前、老生が大阪の環状線に乗っていたときのこと。パリッとしたスーツを着た若い会社員風の男性二人が座ってスポーツ紙を広げていたが、こういう会話をした。大声であった。「三割バッターてなんや」「知らんのか。三割バッター言うたらな、三回続けてヒット打つ奴《やつ》や」「ほー、すごいな」「すごいわ」。

天下泰平、これが現実である。数学の分らん者は分らんのである。

仮に割合計算ができたとしても、その上のクラスの数学ができない、分らないその人数は厖大《ぼうだい》。すなわち高校生の相当数が、わけが分らないまま教室に座っている。ところが今や辛抱するという道徳など崩壊しているから、眠る、私語する、スマートフォンをいじる、廊下を歩きまわる、街をうろつく……となるのは当然である。大半の者が授業内容が理解できない学校は今や苦しみの場となってしまっている。

旧制中学校、旧制高等学校は、いい意味でのエリートコースであった。そこへ新制中学校、新制高校が、闇雲《やみくも》に被《かぶ》さり、教科内容は昔そのままに〈教科によってはそれ以上に〉して、本来なら進学能力のない者まで進学させ、現在、ほぼ百パーセントの者が高校生となっているのである。その大半が教科内容が分らずにいる。高校教育が崩壊するのは当然である。もちろん、それと連動して中学教育も無惨なものとなってしまっている。

つまり、無理な教育、無理な進学が少年少女たちを苦しめているのである。日本国憲法第二六条「その能力に応じて、ひとしく教育を受ける権利を有する」の内、「その能力に応じて」を無視し、なんとなく進学。これは憲法違反となっていると言うべきであろう。その結果が、中学生レベルの大学生の氾濫。もちろん、彼ら無知な連中は簡単に騙せる。平和憲法音頭の一つも歌えば。

制度を改めるべきである。すなわち、中学校卒業をもって、まず完結する。その後は、多様な学校を作るべきである。現在の高校教育における旧制高校的な〈教養主義的教科〉は、ごく一部の高校に限ることだ。大多数の高校は、技術を中心にしての実業的内容にし、専門学校とすることだ。そして、大学と連係し、現行の高専のような形にすればいい。もちろん、高校課程だけの専門学校でもいい。

二次函数《かんすう》の問題が解けなくとも、割合計算ができなくとも、引力のことが分らなくとも、西洋中世の話を知らなくとも……いいではないか。きちんと車を運転でき、まじめに物を運び、理容ができ、服のデザインができ、紙で物を包み……それでいいではないか。

老生、その昔、微分だの積分だの確率だの……と習ったが、この一生において何の役にも立たなかったし、その知識を必要とする場面に出会ったことは一度もない。使った数学は割合計算すなわち小学校算数計算だけだ。三角函数なんて、何だったのだろう。そんなもの知らなくとも、これまで生活になんの差《さ》し障《さわ》りもなかった。

と言うと、必ず偉そうにこう言う人が出てくる。特に学者先生に、「学んで忘れてしまうことと、学ばず知らないこととは違う」と。

大嘘である。学んで忘れてしまうということは、身に付いていないというだけのことである。所詮《しょせん》は知識量を競っていた過去の教育のころの価値観。例えば、かつて医学は知識量・記憶力の学問であった。しかし今やそういう医学は崩壊した。記憶や知識の量はコンピューターが代替するようになったからである。医学専攻者に求められているのは、もっと本質的な能力である。

## 学生運動の崩壊

では、大学はどうなのか。

現況そしてこれからは、はっきりしている。多くの大学は、専門学校になればいい。大学自体がそうであってもいいし、或いは高校と結んで高専になってもいい。そして、教養主義的教科中心の高校が少なくなるのに応じて、それを受け入れる教養主義的大学も少なくなっていい。

あえて言えば、国公私立を問わず、旧制大学のころの文学部と理学部とが、いわゆる大学に相当するであろう。それでいいではないか。文学部・理学部と言うのは、その昔から、卒業しても食べてゆくのがやっとのところ。その代り、好きなことに存分に取り組める。それは趣味的である。そういう勝手な生きかたには、当然、金銭はついてこない。言わば、高度の精神的遊びの世界なのである。

医学部・工学部・法学部・経済学部等々は技術習得が第一であり、文学部・理学部とは性質が異なる。言わば、高度の専門学校である。

となると、老生は、文学部・理学部は巨大な大学から独立し、細々と生きてゆくのがいいと思っている。その研究は、浮世と無縁の硬質の基礎論、いつか花開く革命的基礎論であって世界の常識を改めてゆく。その代り、研究の自由、表現の自由を常に心がけることだ。

さて、大学の場合、老生の記憶には、やはり学生運動がある。今日、いわゆる学生運動は崩壊した。なぜか。理由は簡単である。学生、厳密に言えば「大学生」の地位の低下である。

これも数の結果。かつては大学の数は少なかったので、大学に〈権威〉があった。しかし今や八百近くも大学ができている以上、当然、大衆化し、権威など消し飛んでしまった。

それと同時に、〈学生〉の地位もなくなってしまった。老生が大学生だった六十年前、大学生に対して世間は一種の敬意と好意とをもって接してくれていた。なぜなら、学生が少なかったからである。

例えば、こういう話。老生の同じクラスの悪友に稲垣武がいた。故人となったが、元朝日新聞記者で保守派論客。彼と老生との共著『日本と中国　永遠の誤解』（文藝春秋刊）を出したこともある。

大学二年のころ、彼が老生に祇園へ遊びに行こうと言いだした。とんでもない。学生の分際で祇園のお茶屋なんて。すると彼曰く、安心せぇ、学割があるんや、と軽く言ったのである。悪い奴《やつ》には悪智恵がある。

聞いてびっくり。しかし学割なので、旦那衆の十分の一くらいの費用とあって、よっしゃ、ほんなら行こ、となって仲間四人が繰り出した。もちろん、おっかなびっくり、こわごわ。

座敷で緊張して正座していたところに、盛装の芸妓が二人現れた。びっくりした、御《お》歳《とし》、七十か八十。老妓がお相手。なるほど、学割や。しかし、すごく芸達者。我ら四人を十分に楽しませてくれた二時間だった。

今にして思えば、この学割はお茶屋の先行投資だったのではなかろうか。この学生はん、二十年後、三十年後、若い人連れて来《き》はります、という狙いがあったと思う。

そういう風に、数少なかった学生は、それなりの社会的〈地位〉があった。一般人は好意的であった。というようなところから、学生運動も社会性を持っていたと同時に、社会的〈地位〉を得ていたと推察する。

そういうことに気づかず、言いたい放題、勝手気ままにしていたのが学生運動であった。しかも大衆を指導するなどという思い上りがあったので、大衆をはじめから無知な連中としか思っていなかった。口先では大衆に敬意を表するような言いかたをしていたが、もちろん本心ではない。

学生運動家は、特に六十年安保（昭和三十五年）を中心にして、左翼理論の受け売り口上を撒《ま》き散《ち》らしていたが、所詮、口先きだけ。革命は近い、アメリカ帝国主義打倒……と言っていたが、今や中国帝国主義となっているではないか。これを打倒するのかどうなのか、当時の学生運動家に聞きたい。そして言いたい、お前らの言っていたこと、すべてがスカタンやったやないか、と。

さらに昭和四十年代前半、いわゆる大学紛争が四、五年続いた。当時、老生は名古屋大学助教授であり、学生と対決することとなった。このころが学生運動の最後であった。学生運動はその域を越え、革命志向の反社会的集団となり、内部抗争の末、自己解体していった。

だれの罪でもない。確かな現状分析をすることができず、また説得力ある将来図も描けない、無能な彼ら自身の罪であった。その罰として学生運動は消滅した。今やそれこそ見る影もない。理由はただ一つ、学生の身分に甘えた不遜ということであった。

## グローバル化とは何か

この大学紛争後、大学は変形してゆく。大学進学希望者の増加となり、大学が増えていった。当然、教養主義的内容が色褪《いろあ》せていった。代って実学志向が主流となり、しだいに従来の大学像と食い違ってきている。

特に文学部に激変が起る。従来は、専攻の学生が多い少ないは問題にならなかった。例えば、老生の場合、勤めていた大阪大学文学部において中国哲学専攻の主任教授であった。この専攻をする学生は年に一人か二人。だから、卒業後、大学院へ進学する者はさらに少なかった。この事情は他の専攻においても似たようなものであった。そのため、大学院修士課程全体の入学者は、すべて足しても定員の半分くらいであった。それが当りまえという牧歌的な大学院入試であった。

ところが、その状況に対して文句をつけたのが大蔵省（現在の財務省）であった。定員の人数通りに入学させよ。そうしなければ定員不足人数分の予算をカットする、と来た。

大学紛争前の大学であったならば、大蔵省のその脅しに反抗したであろう。また、それだけの見識がかつてはあった。しかし、大学紛争のとき、大学に管理能力がなく、大学行政の力量がなかったことが暴露されていたため、大蔵省に馬鹿にされてしまったわけである。事実、さしたる抵抗もなく、大蔵省の言い分が通って今日に至っている。もはや〈大学の自治〉など消滅してしまっている。

だから、大学院の定員充足のため、大学院生が激増して今日に至っている。この事情は理系にも及んだ。その結果はどうであったか。

次々と大量の大学院博士課程を終えた若い研究者たちには、就職先がほとんどない。需要と供給との関係から割り出された数ではなく、ただ大学院の定員増を要求してきた（定員数が予算額の決定の大きな要素となる）結果の悲劇である。しかも、大学院博士課程修了者は定員通りの数で毎年生まれてくる。もちろん就職口はますます少なくなり、競争は激化している。大学教員の公募採用者一名に対して応募者が五十人から百人というのは普通である。

こうした大学院学生の定員充足が強く求められる以前は、文学部系は始めから少なくしか入学させなかったので、つまりは修了者が少数であったので、なんとか就職できていたのであるが、今は制度の機械的運用が大量の浪人を作りだしている。彼らの苦しみは想像に余りある。

彼らの多くは定職がなく、非常勤講師などで糊口《ここう》を凌《しの》いでいる。そうした生活が三十代のときはまだいい。しかし、四十代となるとどうなるのか、だれにも分らない。

もちろん、研究することが好きで入った道である以上、だれにも文句は言えない。しかし、研究者への道が上述のように生活上厳しくなってゆくと、研究者を志す者が将来的には減ってゆくことであろう。とすると、例えば、中国哲学（儒教や中国古典学など）の研究者などは、おそらく絶滅する可能性がある。となると、思想や中国学、或いは中国古典学等は、大学以外の場所において、個人的に研究がなされるということになりかねない。果してそれでいいのであろうか。

今の世は、いつのまにやら、グローバリズムとやらの潮流である。そのグローバリズムとやらの具体像とは、要するに英語会話ができるとのことのようである。

しかし、〈会話〉とは何であるのか。お早う、さようなら、貴国の人口は何人ですか、貴国から日本への旅行者は何人ですか……といったチーチーパッパの練習をすることにどれほどの意味があるのだろうか。

それも小学校において、ローマ字読みしかできない発音の下手な教員（圧倒的大部分がそれ）に習って、下手な発音を身に付けたあと、その悪い発音癖を直すために身銭を切って英語会話塾に通うことになるだろう。厖大な時間と金銭とのムダ。

本当に大切なことは、英語（米語）ではなくて、英国語（米国語）の学習なのである。

わが国で言えば、日本語でなくて日本国語、略して国語の学習なのである。

国語の定義をしておこう。こうだ、「国家の歴史・伝統・文化を背景として展開してきた言語」である。その最初のことばと最後のことばとを抜き出して合わせると「国語」である。

英語も同じで、本当に学ばなくてはならないのは、英（米）語ではなくて、英（米）国語なのである。となると、英国（米国）の歴史・文化・伝統の理解への努力が必要となる。しかし、そういう本格的語学学習は、少数者にとっては可能であっても、圧倒的大多数の者、おそらくは同年齢者の九九・九パーセントの者には不可能である。となると、結局は、なんの役にも立たないチーチーパッパに厖大な時間とエネルギーと予算とを費す愚行となることであろう。断言しておく。

そんな暇と金銭《かね》とがあるなら、日本国語、すなわち国語の時間を現行の三倍くらいにして、しっかりと国語を学習させることである。この国語教育こそ教育の基本なのである。それを疎《おろそ》かにして教育は成り立たない。教育が成り立たなくて、なにがグローバル化か。学校そして教育は人間を造るところなのであって、チーチーパッパ訓練所ではないのだ。真の教育内容を失って、なにがグローバル化か。嗤《わら》わせる。

## 日本人は日本人として

日本国憲法第二六条「その能力に応じて、ひとしく教育を受ける権利を有する」——安物の日本国憲法もたまにはいいことを言う。ところが、前半の「その能力に応じて」を故意に消して後半の「ひとしく教育を受ける権利を有する」を肥大化させていっているのが、世の進歩派である。彼らは「学生は貧しい。だから、国は奨学金をもっと充実させよ。欧米のように」と主張し、誰でも彼でも大学進学後は奨学金を得られるようにと主張している。

愚かな話である。「その能力に応じて」を故意に削ったところから、この愚論が大手を振って通るようになったのである。

違う。奨学金というのは、「優秀であり、将来、必ず為《な》すところあるのだが、家の経済的事情で進学できない生徒・学生」に対して、社会が後援する制度なのである。凡くらには奨学金を出す必要はまったくないのだ。

そこを勘違《かんちが》いして、凡くらなのに奨学金を期待させる〈底抜けのお人好し〉を信じている生徒・学生が多いのである。そして奨学金を受給できないと歎いている。

そういう実話を作り出しているのが、進歩派・リベラル派・左筋の教育関係者である。彼らは、金銭《かね》は天から降ってくるものと思っているからである。

彼らは、近ごろ、立憲主義とやらと言い出し、憲法は国民が政府や公務員に守らせるためのものだと言い触らしている。延《ひ》いては、国民は憲法など守る義務はないとまで。要するに、国民がこの憲法を守れと政府や公務員に義務づけているということである。

愚かな話である。ならば借問《しゃもん》す。日本国憲法第三〇条〈納税の義務〉に「国民は、法律の定めるところにより、納税の義務を負ふ」とある。これはどうなる。〈納税の義務〉とは、納税しなければならないということだ。すると、国家〈すなわち行政府〉に対して国民側の要求として、自主・自律的に納税すべき国民に対して、わざわざ必ず納税させることをしなければならぬ、そうせよということになる。

国民が国家に対して己自身の納税の義務を要求するとは――早い話が、私から税金をしっかり取ってね、取らなきゃいけないの、との要求。こういう自虐的要求を国家や公務員に要求するという珍妙な論理となる。

同じく、第二七条〔勤労の権利及び義務・勤労条件の基準・児童酷使の禁止〕第一項「すべて国民は、勤労の権利を有し、義務を負ふ」も同様で、勤労の〈権利〉を確保せよ、勤労の〈義務〉を貫徹させよ、と国家や公務員に対して要求することになる。後者は〈義務〉であり、私を働らかせろ、ぴしぴしと、という自虐的要求となる。

これを立憲主義と称するならば、マゾヒズムすなわち虐待・苦痛を受けることによって快感を得る怪しげな倒錯の気分丸出しということになるではないか。この点について、立憲主義者にしかとした（無視するという意味の俗言「シカトスル」ではなくて）説明を求める。

もちろん、彼らは答えることができない。その根本原因は、憲法を立憲主義とやらで位置づけているからである。しかしそれは憲法を位置づける一つの型・見解にすぎない。それもフランス革命流儀の。

現代日本人の（実はその背後に伝統的集団協力主義の日本人の）憲法に対する位置づけは、憲法を最高法規として日本人全体が、自分から進んでともに守ってゆこうという意識である。かつて教育勅語は、それをこう述べている。「常ニ国憲ヲ重《おもん》シ国法ニ遵《したが》ヒ」と。もちろん、必要なときは改正しつつという気持ち。この意識は憲法に対してだけではない。一般の法に対しても同様である。みなが法を協力して守ってゆこうというのが、圧倒的大多数の日本人の法感覚なのである。憲法に対してももちろん同様である。立憲主義者が言うような憲法感覚の持ち主は日本人においてごく少数である。そのような、一般人の支持を得ていないような意見は、一部学者先生の世迷い語にすぎない。立憲主義では、憲法内の〈義務〉の位置づけ・意味づけ・論理化等ができない惨《みじ》めさが生まれてくることが分っていない。頭が悪いのである。

七十五年前の敗戦時、九歳であった老生の記憶に今も残っているのは、新憲法（当時、そう呼んでいた。大日本帝国憲法に対しての意）の下、みながそれを守って新しい日本を建設してゆこうという熱い気持ちだった。新憲法に対して、政府や公務員はこれを守れ、と言ったような意識は皆無に近かった。それどころか、日本人は新憲法の下に結集し、みなで新憲法を守り立てようという意識が一般的であった。祖国再建へのシンボルが新憲法であった。その熱気は、今の憲法学者には分らないだろう。

もちろん、当時から第九条は問題であった。しかし、それは次の問題であり、敗戦直後はやはりさしあたりの〈生活〉が第一であった。敗戦は人間を現実的にする。

けれども、あの敗戦の日から七十年余を経たのである。わが国は、祖国再建のレベルをはるかに越え、世界有数の大国となった。

その成果であるが、わが国はODAをはじめ、国連への分担金の納入等、相当に国際的寄与をしている。しかし、ほとんどの国はわが国に感謝をしていない。なぜか。答は簡単である。日本人は民族性として、与えた恩恵を人前で誇ることをしないからである。世界のほとんどの国は自己主張・自己宣伝に長《た》け、自慢ばかりしている。われわれは彼らの言動をはしたないと思っている。

しかしこれからは、他国に与えた恩恵をなにも宣伝しないという方法は改めるべきだ。われわれはそれをはしたないと思っているが、厚かましい自己主張が世界の常識なのであるから、これからはしっかりと自己主張、自己宣伝をすべきであろう。

それを担うのは主として外務省であろうが、外務省の幹部の顔つきを見ると、いかにも偏差値命《いのち》とお勉強ばかりしてきたようなインテリ面《づら》である。それでは交渉ごとなど無理。もっと強面《こわもて》の面構《つらがま》えが必要だ。

とすれば、旧外交官試験相当の国家公務員試験の評価項目に「人相《にんそう》」というのを設けてはどうか。面接の折の最重要ポイントとして。

＊

紙数が尽きた。戦後七十五年を経て想うことはまだ半分にも満たぬ。人生、長く生きてきた老人の残りの繰《く》り言《ごと》は、このあと、独酌《どくしゃく》のままに続くことになろう。この憎まれ老人の唯一の取柄《とりえ》は、本当のことを言うこと、ええものはええ、アカンものはアカン、とな。呵呵。

さはさりながら、祖国日本の今後が心配でならぬ。老生は、これから消えゆく老至《おいぼれ》であるが、祖国の日本は、今後もずっと存続する。国家としてその生命ある限り、筋を通して堂々と世界の中で生きて欲しい。大丈夫かというそういう老人の苦渋の折に飛びこんできた朗報は、令和元年の吉野彰氏のノーベル化学賞の受賞。となると、本章ならびに本書全体の締めとして、その受賞への祝意を次節に草したい。

# 令和の御代《みよ》への祝事《いわいごと》

令和元年十月、日本文化における最大ニュースは、吉野彰《あきら》氏のノーベル化学賞の受賞。大賀大賀。

老生、諸新聞の紹介を読んで同氏の業績の柱を耳学問でなんとか朧気《おぼろげ》に理解した。要するに、長時間の電力使用が可能となる新電池の開発・小型化に成功。もちろん、使用と逆の、長時間蓄電方式も開発。

それは電気のもとである電子の自由自在化に成功という大業績とのこと。しかも吉野式電池によって有効な蓄電を可能にし、発電に要する石油の使用量が減り、環境汚染への有力対策にもなってゆくとのこと。

これは人類の平和と幸福とに寄与する研究の表彰というノーベル賞の目的に合致している。

しかも、今回の受賞は基礎理論研究ではなくて、応用開発研究に対するものであった。分かりやすく言えば、大学の学部としてみると、理学部系（基礎理論研究中心）でなくて、工学部系（応用開発研究中心）。その後者のノーベル賞受賞者の代表格は田中耕一氏、今回の吉野氏も同様。その二人とも民間会社員。反対に、同賞受賞者の基礎理論系は圧倒的に国立大学教員（公務員）。いわば〈官と民と〉の二種。

しかし、今の時代、官だの民だのと言うのは時代遅れ。最も求められているのは優秀な研究者なのである。積極的に〈民〉の中の優秀な研究者を高く評価し抜擢《ばってき》してゆくべきであろう。

などと思った老生、ふっと頭に浮かんだのは、「野《や》に遺賢《いけん》無からしむ」（『書経』大禹《だいう》謨《ぼ》）という名句であった。

こういう意味。民間（野）の優れた人材（賢）を世に称揚《しようよう》（ほめたたえる）せず、野に残したまま（遺す）であってはならない。どんどん表舞台（官）に抜擢することだ。それができないのは劣った社会である。

もちろん抜擢（立）にこれというきまり（方《ほう》）はない。身分など関係なく、実力第一。『孟子』離婁《りろう》に言う、「賢を立つるに方無し」と。

なるほど。とそのとき、この「在野」の「野」と「吉野氏」の「野」とが重なり、

「吉」「彰」も使って詩情が大きく湧き出てきた。以下のように。

ノーベル賞決定は吉事《きちじ》吉兆《きっちょう》（吉徴《きっちょう》）。高々《たかだか》とした世界的なもの（突兀《とっこつ》）。その吉報が遠く東方に在《あ》る日本（扶桑《ふそう》と呼ばれていた）に届いた。まさに「野に遺賢勿《な》からしむ」（漢詩の規則上、「無」は「勿」に換える）。吉野氏は徹底研究し（彰考闡明《しょうこうせんめい》）、美事《みごと》に正・負両電子を最善の形で繋《つな》（維）いだ。それに由《よ》って得た賞は凰《おう》（おおとり）として最高の献物。なお、各句の頭に氏名を盛りこんだ詩を首字有意詩・冠名詩と称する。

吉野氏の偉業に対して、同氏の出身高校先輩である老生、感動のまま中国古典学者の作法に則《のっと》り、一詩を得たり。吉・野・彰の三文字を盛りつつ、曰く、

**吉徴突兀至扶桑**　吉徴、突兀、扶桑に至る。
**野勿遺賢無立方**　野に遺賢勿《な》からしむに、〔賢人を〕立つるの方〔決まりなど〕
　無し〔実力第一〕。
**彰考闡明維電子**　彰考闡明、電子を維《つな》ぎ、
**令和即位献祥凰**　令和即位に祥凰《しょうおう》を献ぜり。

# 附篇　日本人の死生観

近ごろ、死そのものについて論じられることが増えている。当然、日本人の死生観についで書かれた文章もよく見かける。しかし、その大半は、いわゆる仏教的視点のものが多く、いわば借りものの解説にすぎない。そういうまやかしではなくて、日本人が歴史的に抱いてきた日本人の死生観について述べたい。

人間の生活において何が中心かと言えば、もちろん〈生〉であるが、いずれ己《おのれ》に訪れる〈死〉に対する思いもまた強い。その〈死〉、ならびにその〈死後〉について日本人はどのように思ってきたのであろうか。

先日、或る人の家を訪ねて行った時、道に迷った。そこで、近くにいた小学三年生ぐらいの子たちに尋ねたら、その方の家を知っていると言う。よかった、じゃ案内してくれますかとお願いしたところ、なんと「個人情報は教えられません」と来た。今や個人主義重視である。明治維新は立派な仕事だったが、新政府は大きな勘違いをした。機械が示す西洋文明に圧倒されて、そういう文明を生んだ個人主義を進んだ思想であると思ったようだが、個人主義は狩猟民族の思想なのである。それに対して、農耕民族であるわれわれ日本人は家族主義を信条としてきたのである。その違いを知らなかった。

狩猟民族がなぜ個人主義かと言うと、弓矢の上手な個人の能力の高い者が獲物を得る。下手な者は上手な者にへつらいながら余り物をもらう。そういう社会である。また、身体つきも違う。狩猟民族は獲物を追跡するために走ることが第一。その結果、足が長くなったが、農耕民族は鍬を打ち振ることでだんだん重心が下がって足が短くなる。サッカーでは、日本人は狩猟民族系の欧米人に負けるに決まっている。なぜなら農耕民族系の日本人は足が短いからである。

## 一神教と多神教と

さて、宗教では、人間の何万年という歴史の中で、いろいろなものが出ては消え、消えては現れて……といった長い歴史がある。その中で、今日にまで生き残っている世界的なものは、一神教とインドの諸宗教と、そして儒教の三宗教だけである。

一神教は信ずる神がお一方になる。われわれ日本人にはこの感覚はない。一般の日本人は多神教だからである。一神教の神は全知全能で、全てをご存じ、何でもできなさる。多神教は、神々にそれぞれ専門があり、一知一能である。学問の神様は天神さん。病気になったら大阪では石切に癌《がん》封じの神社がある。商売だったら恵比寿さんにお願いする。それぞれ専門がある。これが多神教の世界である。毎年、正月に、どこの神様にお参りに行こうか、どっちの方角がいいかと、神様がたくさんいらっしゃるので選べるわけである。一神教は選べない。ここが決定的に違っていて、一神教は日本人のハートにピンとこない。だから日本人には一神教徒の方は少ない。これは感覚の問題であり、心に発する信仰の問題ではない。

一神教の場合、ユダヤ教、キリスト教、イスラム教の三派がその代表として世界で生き残っている。その三者の大きな相違点は、ユダヤ教はユダヤ民族のみが救われるとするが、キリスト教は全人類が救われるとする。またキリスト教では、イエスを神の子とするが、イスラム教は神には子はないとする。

この一神教は〈死〉についてどう説明しているか。ヤハウェあるいはエホバという神は、こうおっしゃる。信ずる者のみが死後に天国に召される。信じない者は地獄行き、と。クリスチャンは神を信じているから天国へ召される。私、加地ごときはクリスチャンではないので、キリスト教的には地獄行きである。労働は罰だから、天国では労働がない。アダムは悪いことをしたから、罰として天国からこの地球上に放り出されて、労働を与えられた。しかし、日本人の典型の私のような者は貧乏性なので、一生懸命働かなければ我慢できない性格である。天国で労働せずにゆったりしなさいと言われたら、かえって迷惑に感じる。すみません。でも、異教徒の私は地獄行きでしょう。覚悟しています。地獄へ行きますよ。先に地獄へ行って、待っていますよ、皆さんを。

一神教の系統は、ヨーロッパを中心に、アフリカ辺りまで広がった。〈死〉については最高絶対者の神のご意思にお任せしないと仕方がない。死後は神を信ずれば天国へ行ける。これは非常に分かりやすいので安心感が持てる。

## 無常の世に輪廻転生

二つ目はインド、暑いところである。ユダヤ教が起こったところも実はそうで、当時の人々の感覚では、涼しくて静かな気持ちの良いところに行きたい、それなら地下である。深く掘ればそこは涼しくて落ち着ける。一神教の起こった系統の地域は土葬である。今でもクリスチャンは火葬しない。イスラム教もユダヤ教もそうである。ルーツは、死後は涼しいところで過ごさせてあげようという土地柄だからである。

ところがインドではそれと異なる。もともとが酷暑。お釈迦さんの時代のインドの平均寿命は十八歳である。生活環境が十分でなく、人々が極貧であったため、非常に早く亡くなる。無常である。常《じょう》がない、コンスタントなものがない、それが苦なのである。この世に一定することがないことが苦しみである。そういう土地のインド人に対する死の説明として出てきたのが輪廻転生という考えかたなのである。早く死ぬことは死ぬけれども、生まれ変わることができると説いた。となると、気持ちがすこし楽になる。わずか十八歳の平均寿命だが、死んでもまた生まれ変わることができるというのはありがたい。しかも次々と輪廻するから死んでも大丈夫、次にまた生まれ変われるという安心感を与えたのである。

けれども人間世界の中でも偉い人が出てきて、死の苦しみの意味が何かを知ることで、これを断ち切って輪廻転生しないような状態になることができると考えた。すなわち輪廻転生の苦しみから解き放たれた〈解脱した人〉、それが仏さんである。この仏以外は、次に生まれ変わるときは、前世での良し悪しにより、六段階のどこかへ生まれ変わるということになる。本来は十段階あって、上の四つは仏様の世界である。下の六段階、この六道（六つのコース）は仏さんになれなかった者の行く世界である。失礼ながら、皆さんはおそらく仏さんにはなれませんでしょうから、上の四段階の説明は省略して、必ず行く六道の説明に入りましょう。

仏教はインドの宗教の一つであり、この輪廻転生を基本とする。インドの宗教では六道すなわち六つの道の一番上のランクである天道は仏様のガードマン。仏様を守るわけですから、最高ランクの方が何人もいらっしゃる。その一つが例えば韋駄天《いだてん》（足が速い）。

第二ランクが人間道。人間である皆さんは、仏教的、あるいはインド宗教的に言えば、前世はかなり良いことをされた。だから第二ランクに入っておられる。ありがたや、ありがたや。

第三ランクは修羅道《しゅら》である。「修羅場《しゅらば》で阿修羅《あしゅら》のごとく」の修羅である。修羅は朝から晩まで怒り続けている。みなさんの周辺にも、朝から晩まで怒り続けている人がいますね。その人の未来は修羅道へ、ですよ。

第四ランクは畜生道、すなわちネコやブタなどに生まれ変わる。ちょっといやです。その次は餓鬼道。餓鬼の世界では、人間の欲望の中で一番大きい食欲が満たされない。食べ物を口元まで持ってきても、ぼっと燃えてしまって食べられない苦しみに遭う、これが餓鬼道である。

そして最後は下の下、六番目の地獄道。地獄の苦しみというのは、寝る時間がないことである。朝起きたら、鬼に針の山へ追い上げられ、山を下りて行くときれいな車があるので嬉しくて飛び乗ったら、ぼっと燃えて火の車。焼けて痛い体で車から飛び降りて、眼の前に流れているきれいな川へ飛びこんだはずが、血の川に変わる。そのような世界を朝からぐるぐると回って、また元の針の山へ戻って来る。睡眠はなし。

では、人間の行動に対して判決をする閻魔《えんま》大王は、どのようにして人間の行動を御存知なのか。実は各個人に対して、ビデオ方式でその行動を映し取っているのである。すなわち人生のすべては、この鏡に映し取られているのである。ビデオテープみたいなものなので、隠しごとなんかできませんよ。

そして死後に、次に行く世界のランクを決めるため、閻魔様の前でその記録を見せられて決まる。こうした六道輪廻の考えはインド人だから通用したと言える。みな短命なのだが、心配するな、次の生きてゆく世界がある、という希望を与えたのである。

## 儒教文化圏の〈死〉

第三の宗教は、中国、朝鮮半島、ベトナム北部、日本など、東北アジアに広がっている儒教である。儒教文化圏では、生きているとは何かということを、こう説明した。人間の身体を精神と肉体とに分けて、精神をコントロールするものは〈魂〉、肉体をコントロールしているものは〈魄〉とし、この魂・魄が融合している状態を〈生〉としたのである。

しかし、死が訪れると、〈魂〉は天へ上がり、〈魄〉は地下へ行き、分裂してしまう。すると、分裂したものを呼びもどせば、再び生き返るではないかという理屈になる。そこで、〈魂〉を呼び戻す方法としては、香りの良い木を焚く。この香りに乗って、〈魂〉が天上から下りてくる。

それを後に中国に入ってきた仏教が密輸入して、お焼香となる。お焼香はインドにはない。焼香は仏教が中国へ来てから作り上げられたものなのである。お焼香で線香の香りが上がって、〈魂〉が下りてくる。〈魄〉は地下だから、香りの良いお酒を撒《ま》くと、その香りに乗って〈魄〉が上がってくる。お酒が嫌いだったり飲まない人は、この世に帰るのは、ちと難しい。だから、その日のために、日ごろ、飲んで慣れておくといい。飲酒の練習をしましょう。

遠い時代では、亡くなった方の頭蓋骨を家廟《かびょう》・祠堂《しどう》（一族の慰霊安所）に納めておき、命日にそれを取り出してだいたいは孫がかぶった。その姿が𠑹（鬼）。明け方の暗い中で音楽を演奏して香を焚き、亡き人の魂を呼び、酒を撒いて魄を呼び、荘重な慰霊の文章を読み上げる。すると魂魄が帰ってくる。その場所は魂魄の依りつく形代《かたしろ》（場所）である。やがて帰ってきた魂魄が形代に取りつき、亡き人の頭蓋骨をかぶった人（形代）が両手両足を動かして狂乱状態になる。それが文字で残っている。すなわち異常の「異」である。この状態になると故人が帰ってきたというわけである。これが慰霊の根本的意味である。

葬儀は家族が死者の思い出と共に皆と会う儀式である。インド仏教には祖先の霊を戻す儀式はない。お盆やお彼岸はインド仏教にはない。しかし、中国仏教・日本仏教は、インド仏教と異なり、お盆・お彼岸・先祖供養を取り入れていったので、儒教儀礼の色が非常に濃い。

## 儒教の本質は〈生命の連続〉

さて、この頭蓋骨を使った儀式は気持ちが悪いこともあり、頭蓋骨に代わるものができた。それが木製の位牌である。位牌の上部は丸く削ってあるが、それは頭蓋骨の形の名残である。何万年も前から慰霊の儀式を行い、今も位牌を祀っている理由は、亡き人がこの世のその位牌に帰って依りつくことを信じているからである。真心を尽くして呼べば、亡き人（魂魄、霊魂）が帰ってくるとする慰霊の祭祀なのである。これらが〈死〉についての儒教の説明である。

だから、亡くなっても骨は残す。同じ土葬でも、一神教の墓とわれわれの墓との意味は全然違う。一神教は墓を亡き人のシンボルとして残していて、その下で静かに休みなさいと土を掘ってそこに遺体を置いている。儒教は、何度でも故人と出会いたいから、墓に頭蓋骨を置いているのである。つまりは身体を（本来は焼かずに）土葬しているのである。後には仏教式に火で身体を焼くようにはなったが、しかし、骨は土葬する。そして、誰が先祖を祀るのかということになり、本家を中心とする一族がそれを守ってゆく。そこから家族主義（厳密には一族主義）の儒教が展開するのである。

今の日本では失われつつあるが、必ず守っていかなければならないことがある。すなわち、後に生きている者が亡きご先祖の霊魂を安んじる慰霊祭である。そこで遺体という言葉が現れる。遺体とは、現在では亡くなった人の体のことを指すが、それは最近の用法で、儒教では自分のこの体は父母が遺した体であると言う。すると、父母の遺体であるのは自己である。遺言は遺した言葉ということだが、同じく遺体も父母が遺した体ということなのである。別の言い方をすると、それは〈生命の連続〉を意味するのであるから、実は、亡き自分の祖先は己と一体化されているのである。

私は、iPS細胞研究者の山中伸弥氏と対談し、意見が一致した。次から次へと新しい細胞ができて前の細胞は死んでいく。しかしそれでも新しい細胞が残っていればいいわけである。その仕組みの大型版が人間社会であり、その成り立ち、そして人間としての在りかたを説くのが儒教なのである。儒教に細胞のような観念はないが、この自己の体は父母から受け継いだもの、〈生命の連続〉、これが一番大事なのである。先祖の慰霊祭は、実は己の体の確認でもあるのだ。これが儒教の本質であり、儒教の宗教性は、正《まさ》にここにある。

このこと、私は四十年も前から述べ続けてきた。この〈生命の連続〉の共感は、皇室の〈生命の連続〉性に対して特に強い。皇室への日本人の支持は、実は、自己の祖先からの連続性を、皇室の連続性に重ね合わしての共感が根底にあるからである。もし皇室の連続性が絶たれたとき、皇室に対する日本人の共感性そして支持は絶えることであろう。

## 家族主義の否定は誤り

日本で脳死の臓器提供が少なく、うまくいかない理由の一つは、移植される人の氏名を明らかにしないからである。かつてアメリカで臓器移植において、提供者がらみの恐喝事件があって以来、アメリカでは移植に同意の方の名前を法律上明らかにしないことになり、日本もそれを真似た。しかし、それがよくない。日本人の感覚と死生観とに依れば、臓器提供者の父・母は移植者に会いに行きたいのである。己の子供は死んだけれども、別の人の中に生きているということが喜びなのである。

名前も分からない人に自分の子供や家族の体の提供をするだろうか。あのおうちのあの子の心臓はうちの子供のものであった、うちの子の肝臓はあそこで生きている、その喜び、そして感謝、そういう気持ちで臓器提供者・被提供者ともに交わることができるような環境は、儒教文化圏にある。特に日本人にはそれがある。だから、その方向に進めば、臓器提供者は今よりももっと増えるであろう。

またそれは、少子化問題にも関係がある。一族とは、血がつながっていることを強烈に意識することである。父母の世代のグループは叔父さんや伯母さんになるが、これには父、母という文字が付いている。いとこ同士のグループから見たら、自分の実父実母以外の同世代の人つまりは伯父や叔母等々も全部父母、すなわち父族・母族そして子の世代は、すべて子族なのである。これが儒教の考えかたなのである。

或る叔母はたまたま結婚しなかった。その叔母が遠いところで独り寂しく過ごしているときに、甥や姪たちがお金を送ったり食べ物を送ったりして慰めるのは当たり前。なぜなら、その叔母は母族だからである。すなわち広い意味での母なのである。結婚しても子供がない方もある。子供のないその方から見ると、甥や姪は、すべて自分の子、実子。すなわち子族なのである。儒教的にはそうなる。

昨今の結婚していない人や少子化問題について、だれがうまく説明できるか。それは儒教しか説明ができないのである。今や個人主義と称して、親族・姻族とのつながりを断ち、進んで孤独になっている。これが現代日本の家族の解体になっている。しかもその個人主義の大半は、真の個人主義ではなくて、単なる利己主義なのである。

昔は結婚式や葬儀に親戚一統が集まり、家族（一族）主義はついこの間までの日本にあった。お葬式のときは、遠くにいる親戚にも呼び掛けるべきなのである。

私の友人の話では、親戚が亡くなったので遠い郷里のお葬式に帰ったら、葬儀の日に、初七日も四十九日もするという。葬儀と同じ日においてである。次に会うのが大変だからと最近多いとのこと。そんなご都合主義を言ったらいけない。面倒でも一周忌にお呼びする、三回忌にお呼びする、そういう努力があってこそ親戚が仲良くなっていくのではないか。家族といった繋がりが消えてしまったら、これからの日本はどうなるのか。

おそらく、単なる利己主義集団となってゆくことであろう。その利己主義を否定するために、個人主義あるいは宗族（一族）主義が生まれてきた歴史性を知らぬ愚かな〈現代化〉である。

欧米人は個人主義である。これは自分を律し（自律）、自己責任の下、自分で立つ（自立）精神を持って生きるということである。しかし、日本人に自立するという精神は乏しい。自立や自分を律することは、われわれに向いていない。日本人はぶら下がり。

お上にも家族にもぶら下がる。しかし、ぶら下がりをやめると、自分で立ち、自分を律することができないから、利己主義者になってしまうのである。日本の教育は個人主義教育と称して、実際は利己主義者の養成をしている。そういう利己主義者養成学校となっているくらいなら、そういう教育や学校はつぶしてしまったほうがよいと私は言っている。

このような状況になったのは、明治以来、家族主義をただ古いものとして否定してきたからである。それは間違いだった。しかし今なら、われわれはまだ親戚の感覚があるから、今からでも遅くない。例えば約四百年前の関ヶ原の戦いのころも、千年前も、読者の皆さんのご先祖は確実にどこかにいらっしゃった。私の先祖もいた。そして、その遠い昔からずっと今日までご一緒で、先祖と共にずっと生きてきて、今も生きている。この生命の連続の不思議さを大事にしようというのが儒教である。すなわち〈死〉が逆転して、〈生〉となって続いているのである。

最後に、宗族（一族）主義否定論者にあえて教えておこう。宗族主義の重要機能の一つを。すなわち、今日と異なり、貧しい国であった人間の長い歴史上、宗族主義は高齢の老人を介護し、病人の生活を助ける機能を備えており、いわば〈社会福祉〉の原型だったのである。病人や老人の面倒を見る社会福祉は家族主義社会に厳として存在していたのである。

今日の日本では、それを社会全体で荷おうということになってきた。そのため自律精神の乏しい日本人は、ますます国家にぶら下がってゆく。その膨大な年々増えてゆく社会福祉費を日本人は背負ってゆくこととなる。しかし、個人主義社会(国家)では、或る一定限界のところで堂々と切り捨てている。例えば、社会保障の行きとどいた北欧においては、高額の手術を希望しても、公的委員会でその病人の生存年数等に基づく一定議論をした上で、拒否を決定することがある。費用対効果上からである。もちろん自費でするのは勝手。そういう北欧の厳しい社会福祉のことを日本人は知らない。

儒教というものを大半の現代日本人は誤解してしまっている。一般に、儒教と言えば、難しいことを言う躾けの教えと思われているが、まったくそのようなものではないのである。

# 後記

今から約九年前、産経新聞社が「30人日替わりコラム」と題する大型企画を発表した。それは、毎日（つまりは月に約三十回）、三十人の筆者のコラムを順次掲載するというもの。その三十人の一人として、老生も指名を受けた。おもしろい、と応じた。

老生はそのコラムを「古典個展」と名づけた。その意味は、本書「始めに――古典の知恵とは」に述べるがごとしである。

その趣旨は、現代を古典を通じて観察するということである。もっとも初めの二年間は、古典と言ってもあえて『論語』のみに限っていた。読者には『論語』が最もなじみやすいと思ったからである。そして二年後からは、『論語』に限らず、広く中国古典からの眼という形にして今日に至っており、今も続いている。

老生の第一回は平成二十三年三月。以来、今日まで満九年。もっとも途中から四十日に一回となり、発表は百編以上となった。その「古典個展」から約四十篇、「正論」

欄などから約十篇を選び出して論点を分類して構成したものが本書である。その筋立てや選択すなわち編集は、産経新聞出版の瀬尾友子編集長であり、大変な作業であった。心より感謝申し上げる。

さて、その「古典個展」の読者二人の方から老生に質問されたことがあった。すなわち、老生が主張した文章にふさわしい中国古典の引用が毎回なされているが、それをすることができる方法を教えてほしい、と。

なかなか良き御質問。老生、次のように教科書的に答弁いたした。正統的に言えば、常日《つね》ごろ、中国古典に親しみ、その内の勝《すぐ》れたことばに親しんでゆくことに尽きます、と。しかしこれは、答になっているようで、実は答になっていない。ゆっくりとした時が流れていた昔はそうであったが、忙しい今日では、まず無理。それにほとんど大半の人は中国古典などという漢文を勉強する暇《ひま》があったら、英語それも英会話のチーパッパの物まねに精を出すことであろうから。

さて文章の背後にある中国古典の把握は、明治・大正期はともかく、昭和それも大東亜戦争以後においては、大学文学部の中国哲学や中国文学等の、それも〈中国古典学〉専攻学生においてのみ可能というふうに変化、いや縮小されてきたのである。しかし、その専攻学生も少数であるから、今や中国古典学は、風前の灯《ともしび》となっている。中国古典学においては、テキストの昔の人のことばがどういう古典のことばを踏んでいるのか、それを明らかにする訓練が常になされている。いわば、出典を検索する、いや検索できる技術の訓練を経なければ、中国古典学の研究者として通用しない。

老生、元よりかつてその訓練を受け、その技術を有している。だからこそ今それを応用して中国古典を引用できるのである。老生のコラム「古典個展」における中国古典の引用は、その現代版である。

しかし、そのような技術を修得できる中国古典学は、前記のように、今や衰弱の一途を辿っている。もしこれが衰亡してしまったら、どうなるのか、心配でならない。

本書は、中国古典学の書ではない。しかし、本書を通じて、その柱となっている中国古典学に対して、御関心を持っていただけると、ありがたい。延《ひ》いては、御子弟や御親族の青少年に関心を起していただけるならば、望外の喜びである。

令和二年四月十日

孤剣楼　**加地伸行**

**加地伸行**（かじ・のぶゆき）

昭和35年、京都大学文学部卒業。高野山大学・名古屋大学・大阪大学・同志社大学・立命館大学を歴任。現在、大阪大学名誉教授。文学博士。中国哲学史・中国古典学専攻。84歳。
著書（編著などを除く）に「加地伸行（研究）著作集」三巻として『中国論理学史研究』『日本思想史研究』『孝研究』ならびに『中国学の散歩道』（研文出版）、『儒教とは何か』『現代中国学』『「論語」再説』『「史記」再説』『大人のための儒教塾』（中央公論新社）、『沈黙の宗教――儒教』『中国人の論理学』（筑摩書房）、『論語 全訳注』『孝経 全訳注』『論語のこころ』『漢文法基礎』（講談社）、『論語』『孔子』『中国古典の言葉』(角川書店)、『家族の思想』『〈教養〉は死んだか』（ＰＨＰ研究所）、『マスコミ偽善者列伝』『続・マスコミ偽善者列伝』（飛鳥新社）など。

---

**令和の「論語と算盤」**

令和２年８月23日　第１刷発行

著　　者　加地伸行
発 行 者　皆川豪志
発 行 所　株式会社産経新聞出版
〒100-8077 東京都千代田区大手町1-7-2 産経新聞社８階
電話　03-3242-9930　FAX　03-3243-0573
発　　売　日本工業新聞社　電話　03-3243-0571（書籍営業）
印刷・製本　株式会社シナノ
電話　03-5911-3355


ISBN 978-4-8191-1390-8　C0095